LEXIQUE D[illegible]
BOURS[illegible]
ET DES
VALEURS MOBILIÈRES

BIBLIOTHÈQUE ADMINISTRATIVE
Ministère des Communications
Éléments de catalogage avant publication

Delage, Gisèle.

Lexique de la bourse et des valeurs mobilières : lexique anglais - français / Gisèle Delage. — 3e éd. rev. et corr. —— Québec : Publications du Québec, c1992.

(Cahiers de l'Office de la langue française)
(Terminologie de la gestion)

Bibliogr.
ISBN 2-551-15053-1

1. Bourse — Dictionnaires 2. Bourse — Dictionnaires anglais 3. Valeurs mobilières - Dictionnaires 4. Valeurs mobilières - Dictionnaires anglais 5. Français (Langue) - Dictionnaires anglais 6. Anglais (Langue) - Dictionnaires français I. Québec (Province). Office de la langue française. II. Titre.

A11 L3 C33 / 1992

Cahiers de l'Office
de la langue française

LEXIQUE DE LA BOURSE ET DES VALEURS MOBILIÈRES

TROISIÈME ÉDITION REVUE ET CORRIGÉE

Terminologie de la gestion

Lexique anglais-français

Gisèle Delage

Québec

Ce lexique a été préparé
sous la direction de Jean-Marie Fortin,
directeur des services linguistiques.

Cette édition a été produite par
Les Publications du Québec
1279, boul. Charest Ouest
Québec (Québec)
G1N 4K7

Conception graphique de la couverture
François Barrette

Première édition, 1973
Deuxième édition, 1984
Troisième édition, 1992

Le contenu de cette publication est également diffusé, sous diverses formes, par le réseau public de la Banque de terminologie du Québec.

Dépôt légal — 2e trimestre 1992
Bibliothèque nationale du Québec
Bibliothèque nationale du Canada
ISBN 2-551-15053-1

Introduction

L'Office de la langue française publiait, il y a plusieurs années, le *Lexique de la bourse et du commerce des valeurs mobilières* dans le cadre de la politique linguistique du gouvernement du Québec. Cette première édition, préparée par Jean Capron en 1973, s'avéra un outil fonctionnel qui sut répondre, grâce à une nomenclature technique des plus exhaustives, aux besoins pressants exprimés par les professionnels de la bourse et les spécialistes en valeurs mobilières.

Dans le but de maintenir ce rôle de soutien terminologique auprès des usagers, d'une part, et de rendre compte de l'évolution de la législation en matière de valeurs mobilières au Québec, d'autre part, il nous est apparu nécessaire d'actualiser ce dictionnaire terminologique.

Une mise à jour du lexique fut donc effectuée en 1984 par l'auteure en collaboration avec Antoni Dandonneau, de la Commission des valeurs mobilières.

Cette troisième édition entièrement revue, corrigée et augmentée retenait la nouvelle terminologie introduite par la *Loi sur les valeurs mobilières,* adoptée en décembre 1982, ainsi qu'un certain nombre de nouvelles notions se rapportant au domaine de la bourse.

De plus, nous avons retranché du lexique les termes réservés exclusivement à des disciplines connexes, telle la comptabilité, ainsi que les termes représentant des notions propres au commerce des valeurs mobilières en Europe.

Outre l'adaptation à la présentation actuelle des cahiers, la nouvelle édition tient compte des réalités nouvelles de la bourse et des valeurs mobilières.

Gisèle Delage

Abréviations et remarques liminaires

Abrév.	abréviation	n. f.	nom féminin
adj.	adjectif	n. m.	nom masculin
BE	Belgique	pl.	pluriel
CA	Canada	QC	Québec
FR	France	Syn.	synonyme
GB	Grande-Bretagne	US	États-Unis
loc. adj.	locution adjectivale	v. i.	verbe intransitif
loc. adv.	locution adverbiale	V. o.	variante orthographique
loc. prép.	locution prépositive	v. pron.	verbe pronominal
loc. v.	locution verbale	v. tr.	verbe transitif

Les articles terminologiques de ce lexique, regroupés suivant l'ordre alphabétique discontinu, renferment une entrée anglaise suivie, le cas échéant, d'un ou plusieurs synonymes ainsi qu'un équivalent français qui peut être également suivi d'un ou plusieurs synonymes. Les synonymes anglais et français sont séparés par des points-virgules.

Les entrées anglaises peuvent comporter des parenthèses indiquant une possibilité de double lecture. Les entrées anglaises et leurs équivalents français peuvent être numérotés (1, 2, etc.) lorsque ces termes présentent des acceptions distinctes en anglais et en français ou lorsqu'il s'agit de contextes différents. La forme féminine est inscrite lorsque le terme français désigne une personne physique. Une note technique ou terminologique vient parfois expliciter la notion à l'étude.

Les variantes orthographiques, les abréviations et les synonymes anglais font l'objet d'une entrée-renvoi où figurent respectivement les abréviations *V.o. de, Abrév. de* ou *Syn. de* qui les renvoient au terme principal.

Un index regroupe l'ensemble des équivalents français, lesquels sont assortis de références numériques qui renvoient aux articles du lexique.

Lexique

A

1. *abatement*
diminution n. f.;
réduction n. f.

2. *above par 1;*
at a premium 1
au-dessus du pair loc. prép.

3. *above par 2;*
at a premium 2
au-dessus du prix d'émission loc. prép.

4. *abridged prospectus*
prospectus abrégé n. m.

5. *accelerated depreciation*
amortissement accéléré n. m.

6. *account holder*
titulaire de compte n.

7. *accounts payable*
créditeurs n. m. pl.;
comptes fournisseurs n. m. pl.
Note. — Éviter le terme *comptes à payer.*

8. *accounts receivable;*
receivables
débiteurs n. m. pl.;
comptes clients n. m. pl.
Note. — Éviter les termes *comptes à recevoir, comptes recevables.*

9. *accounts receivable ledger*
Syn. de *customers' ledger*

10. *accrued dividends*
dividendes accumulés n. m. pl.

11. *accrued interest*
intérêts courus n. m. pl.;
intérêts échus n. m. pl.
Note. — Éviter le terme *intérêts accrus.*

12. *accruing interest*
intérêts à échoir n. m. pl.
Note. — Éviter le terme *intérêts courants.*

13. *across the board diversification*
diversification maximum n. f.

14. *act as principal, to*
se porter contrepartie v. i.
Note. — Dans le contexte où il s'agit pour le courtier de se porter vendeur ou acheteur contre son client.

15. *active market;*
brisk market
marché animé n. m.

16. *actual market*
marché réel n. m.

17. *actual yield*
rendement effectif n. m.;
rendement réel n. m.

18. *acute depression;*
depression;
slump 1
crise n. f.;
marasme n. m.

19. *adjustment bond*
obligation de redressement n. f.;
obligation d'assainissement n. f.
Note. — Éviter le terme *obligation d'ajustement.*

20. *administration of assets*
gestion de biens n. f.;
gestion de patrimoine n. f.

21. *ADR's*
Abrév. de *American depositary receipts*

22. *advance amortization*
amortissement anticipé n. m.

23. *advance payment;*
payment in advance
paiement anticipé n. m.;
paiement par anticipation n. m.

24. *adviser*
conseiller en valeurs n. m.
conseillère en valeurs n. f.

25. *adviser with unrestricted practice*
conseiller de plein exercice n. m.
conseillère de plein exercice n. f.

26. *agent;*
proxy 1
mandataire n.

27. *agreement*
convention n. f.;
contrat n. m.

28. *all time high*
niveau record n. m.;
haut sans précédent n. m.

29. *all time low*
bas sans précédent n. m.

30 *allotment*
attribution n. f.
Note. — Employer *attribution* plutôt que *répartition.*

31. *amalgamation;*
merger
fusion n. f.

32. *American depository receipts*
Abrév. *ADR's*
certificats américains d'actions étrangères n. m. pl.

33. *amortization*
amortissement 1 n. m.

34. *amortize, to*
amortir v. tr.

35. *amount 1*
montant n. m.
Note. — Chiffre auquel s'élève un compte, une dépense, une somme.

36. *amount 2*
somme n. f.

37. *amount 3*
total n. m.

38. *amount invested*
montant investi n. m.;
montant placé n. m.

39. *amount of the issue*
montant de l'émission n. m.

40. *annual repayment*
annuité de remboursement n. f.;
versement annuel n. m.;
paiement annuel n. m.

41. *annual report*
rapport annuel n. m.;
rapport d'exercice n. m.

42. *anticipated profits*
bénéfices prévus n. m. pl.

43. *application form;*
subscription form
bulletin de souscription n. m.
Note. — Dans le contexte où il s'agit de quelqu'un qui se porte acquéreur de titres mis en circulation.

44. *apply for stock exchange listing, to*
Syn. de *apply for stock exchange quotation, to*

45. *apply for stock exchange quotation, to;*
to apply for stock exchange listing
demander l'admission à la cote v. tr.

46. *appreciation*
appréciation n. f.;
plus-value 1 n. f.

47. *approximate price*
cours approximatif n. m.

48. *arbitrage*
opération d'arbitrage n. f.

49. *arbitragist;*
trader 4
arbitragiste n.

50. *arrears*
arriéré n. m.

51. *arrears of dividend;*
dividend in arrears
arriéré de dividendes n. m.;
dividende arriéré n. m.

52. *articles of association*
statuts n. m. pl.

53. *asked price;*
offering price (GB)
cours vendeur n. m.;
offre 1 n. f.
Note. — Éviter le terme *demande* même si *asked price* veut dire *prix demandé* (c.-à-d. par le vendeur), car la demande est le fait des acheteurs et non des vendeurs.

54. *assessment*
appel de fonds 1 n. m.
Note. — Argent frais demandé aux actionnaires.

55. *asset*
élément d'actif n. m.

56. *asset value per share*
valeur de l'actif par action n. f.

57. *assets*
actif n. m.
Note. — Éviter l'expression *les actifs.*

58. *assets brought into a business*
biens apportés n. m. pl.;
capital-apport n. m.

59. *assets side 1*
actif au bilan n. m.

60. *assets side 2*
côté de l'actif n. m.

61. *assignment;*
transfer 1
cession n. f.
Note. — Transfert de la propriété d'un titre à un tiers.

62. *assumed bond*
obligation prise en charge n. f.
Note. — La prise en charge se faisant par une société autre que la société émettrice.

63. *at a discount 1;*
below par;
under par
au-dessous du pair loc. prép.;
au-dessous de la vapeur nominale loc. prép.

64. *at a discount 2*
au-dessous du prix d'émission loc. prép.

65. *at a discount 3*
avec une décote loc. prép.

66. *at a loss*
à perte loc. prép.

67. *at a premium 1*
Syn. de *above par 1*

68. *at a premium 2*
Syn. de *above par 2*

69. *at a premium, to be*
faire prime loc. v.

70. *at best;*
at market
au mieux loc. adv.;
au cours du marché loc. adv.

71. *at par*
au pair loc. adv.

72. *at par value*
à la valeur nominale loc. adv.

73. *at market*
Syn. de *at best*

74. *at the opening order;*
order at the opening
ordre à l'ouverture n. m.

75. *auction, to*
vendre aux enchères v. tr.

76. *auditor*
vérificateur n. m.
vérificatrice n. f.

77. *authorized amount of bond issue*
montant autorisé d'une émission d'obligations n. m.

78. *authorized capital*
capital social autorisé n. m.;
capital autorisé

79. *authorized signature*
signature autorisée n. f.

80. *average, to*
faire la moyenne entre loc. v.

81. *average price*
cours moyen n. m.

B

82. *backlog of orders 1;*
unfilled orders
ordres en carnet n. m. pl.

83. *backlog of orders 2*
accumulation d'ordres n. f.

84. *bad delivery, to be*
être de mauvaise livraison loc. v.

85. *balance sheet*
bilan n. m.

86. *balanced fund*
fonds de placement équilibré n. m.

87. *bank acceptance;*
banker's acceptance
acceptation de banque n. f.

88. *bank deposit*
dépôt en banque n. m.

89. *bank deposits*
dépôts dans les banques n. m. pl.

90. *bank note*
billet de banque n. m.

91. *bank of issue*
banque d'émission n. f.

92. *bank rate*
Syn. de *discount rate*

93. *bank shares;*
banks
valeurs de banque n. f.

94. *banker's acceptance*
Syn. de *bank acceptance*

95. *banking group 1*
consortium bancaire n. m.

96. *banking group 2*
Syn. de *purchase group*

97. *banking group agreement*
convention du consortium bancaire n. f.;
accord du consortium bancaire n. m.

98. *bankrupt*
failli n. m.

99. *bankruptcy*
faillite n. f.

100. *banks*
Syn. de *bank shares*

101. *bar gold*
or en lingot n. m.

102. *bear account;*
short account
compte à découvert n. m.

103. *bear covering 1*
Syn. de *short covering 1*

104. *bear covering 2*
Syn. de *short covering 2*

105. *bear interest, to*
porter intérêt v. tr.

106. *bear market*
marché à la baisse 1 n. m.;
marché baissier n. m.
Note. — Marché des valeurs mobilières caractérisé par une baisse du cours de l'ensemble de ces valeurs.

107. *bear operation*
spéculation à la baisse n. f.

108. *bear position*
position à la baisse n. f.

109. *bear raid*
attaque des baissiers n. f.

110. *bear*
baissier n. m.
baissière n. f.

111. *bearer bond*
obligation au porteur n. f.

112. *bearer security*
titre au porteur n. m.

113. *bearer share warrant*
certificat d'actions au porteur n. m.

114. *bearing no interest*
ne portant pas intérêt loc. adj.;
improductif adj.

115. *bearish tendency*
Syn. de *downward trend*

116. *before due date*
anticipé adj.;
avant l'échéance 1 loc. adj.
Note. — Lorsqu'il s'agit du coupon.

117. *before hours*
avant-bourse loc. adv.

118. *before maturity*
avant l'échéance 2 loc. adj.
Note. — Lorsqu'il s'agit du capital.

119. *below par*
Syn. de *at a discount 1*

120. *beneficial owner*
propriétaire véritable n.
Note. — Propriétaire réel d'un bien, généralement un titre.

121. *beneficial ownership*
propriété véritable n. f.
Note. — Le droit anglais distingue le véritable bénéficiaire du bien du simple titulaire du titre de propriété. Ainsi, dans le cas de titre immatriculé au nom du courtier, le client est le *beneficial owner* et le courtier, le *nominal owner*. Notre droit ne connaît pas cette distinction.

122. *benefit*
avantage n. m.

123. *best efforts underwriting*
placement pour compte n. m.

124. *better tendency*
Syn. de *upward trend*

125. *between-dealer market*
marché entre courtiers n. m.

126. *bid/asked price*
cours acheteur et vendeur n. m.

127. *bid price*
cours acheteur n. m.;
demande n. f.
Note. — Éviter le terme *offre* même s'il s'agit du prix offert (c.-à-d. par l'acheteur), car l'offre est le fait des vendeurs et non des acheteurs.

128. *Big Board* (US)
Bourse de New York n. f.

129. *block of securities*
bloc de titres n. m.

130. *block of shares;*
line of shares
bloc d'actions n. m.;
paquet d'actions n. m.

131. *blue chip;*
gilt-edged security
valeur de premier ordre n. f.

132. *Blue Sky legislation*
lois axées sur la protection de l'épargne n. f. pl.

133. *board list*
Syn. de *securities listing*

134. *board lot*
Syn. de *round lot*

135. *board of directors*
conseil d'administration n. m.
Note. — Éviter les expressions *bureau des directeurs* et *conseil des directeurs.*

136. *board of governors*
Syn. de *stock exchange governing committee*

137. *board room*
salle du conseil d'administration n. f.

138. *boiler room*
chaufferie n. f.

139. *bona fide 1*
de bonne foi loc. adj.

140. *bona fide 2*
authentique adj.;
véritable adj.

141. *bond 1;*
debenture 1 (GB)
obligation n. f.

142. *bond 2;*
secured bond (US);
secured debenture (GB)
obligation garantie n. f.

143. *bond conversion*
conversion d'obligations n. f.

144. *bond dividend*
dividende sous forme d'obligation n. m.

145. *bond indenture;*
indenture
acte de fiducie 1 n. m.;
acte fiduciaire 1 n. m.
Note. — Acte relatif à une émission d'obligations.

146. *bond index*
indice des obligations n. m.

147. *bond issue*
émission d'obligations n. f.

148. *bond liability*
Syn. de *bonded debt*

149. *bond market*
marché des obligations n. m.;
marché obligataire n. m.

150. *bond refunding*
Syn. de *refunding of bonds*

151. *bond sinking fund*
Syn. de *sinking fund*

152. *bond yield*
rendement d'une obligation n. m.

153. *bonds payable*
Syn. de *bonded debt*

154. *bonded debt;*
bond liability;
bonds payable
emprunt-obligations n. m.;
emprunt obligataire n. m.

155. *bondholder*
obligataire n.;
titulaire d'obligations n.;
porteur d'obligations n. m.
porteuse d'obligations n. f.

156. *bonus*
gratification n. f.;
prime 1 n. f.
Note. — Éviter le terme *bonus*.

157. *bonus share*
action gratuite n. f.;
action donnée en prime n. f.

158. *book based system*
inscription en compte n. f.

159. *book value;*
carrying value
valeur comptable n. f.
Note. — Éviter le terme *valeurs aux livres*.

160. *boom*
hausse brusque n. f.
Note. — En parlant des valeurs.

161. *boom, to*
monter en flèche 1 v. tr.
Note. — En parlant des valeurs.

162. *borrow stock, to*
emprunter des titres v. tr.

163. *bottom price*
cours le plus bas n. m.

164. *branch*
succursale n. f.

165. *break-even point*
seuil de rentabilité n. m.;
point mort n. m.;
chiffre d'affaires critique n. m.

166. *break in stocks;*
crash 2
effondrement des cours n. m.

167. *break up value*
Syn. de *liquidation value*

168. *breakdown*
composition n. f.;
ventilation n. f.;
répartition n. f.

169. *breweries*
Syn. de *brewery shares*

170. *brewery shares;*
breweries
valeurs de brasserie n. f. pl.

171. *brisk market*
Syn. de *active market*

172. *broken lot*
Syn. de *odd-lot*

173. *broker*
courtier 1 n. m.
Note. — De façon générale, il s'agit d'une personne morale. En France, on l'appelle *agent de change*.

174. *broker's blanket bond coverage*
assurance globale des courtiers n. f.
Note. — Assurance en cas de vol et détournement.

175. *brokerage fees;*
commission 2
courtage n. m.;
frais de courtage n. m. pl.;
droits de courtage n. m. pl.
Note. — Commission que les courtiers perçoivent de leurs clients pour les opérations de bourse qu'ils effectuent.

176. *brokerage firm; brokerage house*
firme de courtiers n. f.

177. *brokerage house*
Syn. de *brokerage firm*

178. *bucket shop*
officine douteuse n. f.

179. *bucket shop operator; swindler*
courtier marron n. m.

180. *bull*
haussier n. m.
haussière n. f.

181. *bull campaign*
campagne de hausse n. f.

182. *bull market*
marché à la hausse 1 n. m.;
marché haussier n. m.
Note. — Marché des valeurs mobilières caractérisé par une hausse du cours de l'ensemble de ces valeurs.

183. *bull operation*
spéculation à la hausse n. f.

184. *bull position*
position à la hausse n. f.

185. *bullish tone*
Syn. de *upward trend*

186. *bullishness*
Syn. de *upward trend*

187. *buoyant market*
marché soutenu n. m.;
marché ferme n. m.

188. *business*
Syn. de *business firm*

189. *business circles*
milieux d'affaires n. m. pl.

190. *business conditions*
conjoncture n. f.

191. *business corporation; corporation; limited liability company*
société par actions n. f.;
société commerciale (CA) n. f.;
compagnie à fonds social (QC) n. f.;
compagnie n. f.;
société anonyme (FR et BE) n. f.

192. *business day*
jour ouvrable n. m.;
jour de travail n. m.

193. *business firm; business; concern; firm 1*
établissement 1 n. m.;
entreprise n. f.;
firme n. f.;
maison n. f.

194. *business recession*
récession économique n. f.

195. *buy an annuity, to*
acheter une rente viagère v. tr.

196. *buy for a rise, to*
Syn. de *speculate for a rise, to*

197. *buy in against a client 1, to*
exécuter un client v. tr.

198. *buy in against a client 2, to*
couvrir de force un client à découvert v. tr.

199. *buy on a fall, to*
acheter en baisse v. tr.

200. *buyer's market*
marché acheteur n. m.;
marché à la baisse 2 n. m.
Note. — Offre supérieure à la demande.

201. *buying in against a seller*
exécution d'un vendeur n. f.;
couverture de force d'un vendeur n. f.

202. *buying order*
ordre d'achat n. m.

203. *buying out*
exclusion par achat d'actions n. f.

204. *buying price*
cours d'achat n. m.

205. *by order and for the account of*
d'ordre et pour compte de loc. prép.

C

206. *calculation of interest*
calcul des intérêts n. m.

207. *call*
appel de fonds 2 n. m.;
appel de versements n. m.

208. *call and put option*
Syn. de *put and call option*

209. *call for margin;*
margin call
appel de marge n. m.

210. *call loan*
prêt remboursable sur demande n. m.

211. *call money;*
day-to-day money
argent au jour le jour n. m.;
argent remboursable sur demande n. m.

212. *call money rate;*
daily money rate
taux du jour le jour n. m.

213. *call of bonds*
rachat anticipé d'obligations n. m.;
rachat d'obligations n. m.

214. *call (option)*
option d'achat n. f.

215. *call price;*
redemption price
prix de rachat n. m.;
prix de remboursement n. m.

216. *callable bond;*
redeemable bond
obligation remboursable par anticipation n. f.;
obligation remboursable à vue n. f.

217. *callable preferred stock;*
redeemable preferred stock
actions privilégiées rachetables n. f. pl.

218. *called up capital*
capital appelé n. m.

219. *cancellation charges*
frais d'annulation n. m. pl.
Note. — Éviter le terme *charges de cancellation.*

220. *cancellation of certificates*
annulation de certificats n. f.

221. *cancellation of securities*
annulation de titres n. f.

222. *capital 1*
capital 1 n. m.;
capitaux propres 1 n. m. pl.

223. *capital 2*
Syn. de *capital stock*

224. *capital account*
compte de capital n. m.;
compte capital n. m.

225. *capital consolidation*
consolidation de capital n. f.

226. *capital dividend;*
dividend paid out of capital
dividende prélevé sur le capital n. m.
Note. — Et non sur les bénéfices.

227. *capital expenditure*
dépense d'investissement n. f.;
dépense en capital n. f.;
dépense en immobilisations n. f.

228. *capital gain*
gain en capital n. m.;
plus-value 2 (FR) n. f.

229. *capital gain tax*
impôt sur les gains en capital n. m.

230. *capital goods*
biens d'équipement n. m. pl.

231. *capital inflow*
afflux de capitaux n. m.

232. *capital intensive industry*
industrie à prédominance de capital n. f.;
industrie de capital n. f.;
industrie capitalistique n. f.

233. *capital investment*
Syn. de *investment 2*

234. *capital issue department*
service des émissions d'actions n. m.

235. *capital loss*
perte en capital n. f.;
moins-value 1 n. f.

236. *capital market*
Syn. de *financial market*

237. *capital needs;*
capital requirements
besoin de capitaux n. m.;
besoin en capitaux n. m.

238. *capital requirements*
Syn. de *capital needs*

239. *capital shares*
actions de capital n. f. pl.

240. *capital stock;*
share capital;
stock 2;
capital 2
capital-actions n. m.;
capital social n. m.
Note. — Intérêt des capitaux propres d'une société.

241. *capital structure;*
capitalization
structure du capital n. f.;
structure des capitaux permanents n. f.

242. *capital surplus*
excédent de capital n. m.;
surplus de capital n. m.

243. *capitalization*
Syn. de *capital structure*

244. *capitalize, to*
capitaliser v. tr.

245. *carrying charges*
frais de couverture n. m. pl.

246. *carrying value*
Syn. de *book value*

247. *carve the melon, to*
distribuer les bénéfices v. tr.

248. *cash 1*
Syn. de *cash on hand*

249. *cash 2*
espèces n. f. pl.;
argent comptant n. m.

250. *cash, to*
encaisser v. tr.
Note. — On encaisse un effet, un coupon, un chèque.

251. *cash capital*
capital en espèces n. m.

252. *cash dividend*
dividende en espèces n. m.;
dividende en numéraire n. m.

253. *cash flow*
marge brute d'autofinancement n. f.

254. *cash in hand*
Syn. de *cash on hand*

255. *cash on hand;*
cash in hand;
cash 1
encaisse n. f.;
caisse n. f.;
argent en caisse n. m.;
fonds en caisse n. m.

256. *CD*
Abrév. de *certificate of deposit*

257. *cease-trading order*
interdiction d'opérations n. f.

258. *certificate*
certificat n. m.;
titre 1 n. m.

259. *certificate of deposit*
Abrév. *CD*
certificat de dépôt n. m.

260. *certification*
agrément n. m.

261. *chance of profit*
perspectives de bénéfices n. f. pl.

262. *change of name*
changement de dénomination sociale n. m.
Note. — Éviter l'expression *changement de nom.*

263. *change one investment for another, to*
échanger une valeur contre une autre v. tr.

264. *character card*
fiche confidentielle n. f.

265. *character file*
fichier confidentiel n. m.

266. *charge, to;*
to debit
débiter v. tr.;
porter au débit v. tr.;
imputer v. tr.
Note. — Éviter le terme *charger.*

267. *charge for safe custody*
droits de garde n. m. pl.
Note. — En parlant des titres.

268. *charges 1*
frais n. m. pl.

269. *charges 2*
droits n. m. pl.;
redevances n. f. pl.

270. *charter*
charte n. f.

271. *chattel mortgage*
hypothèque mobilière n. f.;
nantissement n. m.
Note. — Il s'agit d'une institution de *common law*, puisque le droit civil ne connaît pas d'hypothèque mobilière. Cependant, le droit civil possède une institution correspondante qui est le nantissement.

272. *cheap money*
argent à bon marché n. m.;
argent abondant n. m.

273. *check, to*
contrôler v. tr.;
vérifier v. tr.

274. *check list*
bordereau de contrôle n. m.;
liste de vérification n. f.;
liste de contrôle n. f.

275. *chemical shares;*
chemicals
valeurs chimiques n. f. pl.;
chimiques n. f. pl.

276. *chemicals*
Syn. de *chemical shares*

277. *churning*
multiplication des opérations n. f.
Note. — Fait du courtier qui cherche ainsi à augmenter sa rémunération.

278. *circular;*
information circular
circulaire 1 n. f.

279. *circulation capital*
Syn. de *working capital*

280. *class of shares*
catégorie d'actions n. f.

281. *clearing*
compensation n. f.

282. *clearing house*
chambre de compensation n. f.

283. *close a deal, to*
conclure une affaire v. tr.

284. *close at rising prices, to*
clôturer en hausse v. tr.

285. *close corporation*
Syn. de *private company*

286. *close of business*
fermeture des bureaux n. f.
Note. — Éviter l'expression *clôture des affaires.*

287. *close of the market*
clôture du marché n. f.

288. *closed-end company*
Syn. de *closed-end investment company*

289. *closed-end fund*
Syn. de *closed-end investment company*

290. *closed-end investment company;*
closed-end fund;
closed-end company
société d'investissement à capital fixe n. f.

291. *closed-end mortgage 1*
emprunt hypothécaire plafonné n. m.

292. *closed-end mortgage 2*
prêt hypothécaire à montant fixe n. m.

293. *closely held corporation;*
Syn. de *private company*

294. *closing*
signature d'un contrat n. f.
Note. — Il peut s'agir notamment d'un contrat de placement.

295. *closing price;*
closing quotation
cours de clôture n. m.;
dernier cours n. m.

296. *closing quotation*
Syn. de *closing price*

297. *co-manager*
co-chef de file n.

298. *collapse of the market*
effondrement du marché n. m.

299. *collateral;*
collateral security
bien donné en nantissement n. m.;
bien donné en garantie n. m.;
bien affecté en garantie n. m.

300. *collateral security*
Syn. de *collateral*

301. *collateral trust bond*
obligation par nantissement de titres n. f.

302. *comfort letter*
lettre d'accord présumé n. f.

303. *commission 1*
commission n. f.

304. *commission 2*
Syn. de *brokerage fees*

305. *commodity exchange*
Syn. de *commodity market*

306. *commodity futures market*
marché à terme sur les marchandises n. m.

307. *commodity market;*
commodity exchange
bourse de marchandises n. f.;
bourse de commerce n. f.

308. *commodity trading*
opération sur les marchandises n. f.

309. *common share;*
ordinary share (GB)
action ordinaire n. f.

310. *common stock*
capital-actions ordinaire n. m.;
actions ordinaires n. f. pl.

311. *common stock fund*
fonds de placement en actions ordinaires n. m.

312. *compound interest*
intérêts composés n. m. pl.

313. *computation of net asset value*
calcul de la valeur de l'actif net n. m.

314. *concept stock*
actions d'innovation n. f. pl.

315. *concern*
Syn. de *business firm*

316. *conclude a transaction, to*
conclure une opération v. tr.

317. *conclude an agreement, to*
conclure un accord v. tr.

318. *confirmation slip;*
contract note
avis d'exécution n. m.;
avis d'opéré n. m.

319. *conglomerate*
conglomérat n. m.

320. *conservative estimate*
estimation prudente n. f.
Note. — Éviter le terme *estimation conservatrice.*

321. *consideration*
contrepartie n. f.

322. *consolidated balance sheet*
bilan consolidé n. m.

323. *consolidated financial statements*
états financiers consolidés n. m. pl.

324. *consolidation of shares;*
reverse (stock) split
regroupement d'actions n. m.

325. *contingent order*
ordre «d'abord et ensuite» n. m.

326. *continuous disclosure*
information continue n. f.

327. *contra order*
Syn. de *cross on the board*

328. *contract note*
Syn. de *confirmation slip*

329. *contributed surplus;*
paid-in surplus
surplus d'apport n. m.

330. *control*
emprise n. f.
Note. — À propos de titres.

331. *controlling interest*
Syn. de *majority interest*

332. *conversion loan*
emprunt de conversion n. m.

333. *conversion of securities*
conversion de titres n. f.

334. *conversion order*
ordre de conversion n. m.

335. *conversion right;*
right to convert
droit de conversion n. m.

336. *conversion terms*
conditions de conversion n. f. pl.

337. *convert into, to*
convertir en 1 v. tr.

338. *converted share*
action convertie n. f.

339. *convertibility*
convertibilité n. f.

340. *convertible loan*
emprunt convertible n. m.

341. *convertible security*
titre convertible n. m.

342. *coppers*
valeurs cuprifères n. f. pl.;
cuprifères n. f. pl.

343. *corner the market, to*
accaparer le marché v. tr.

344. *corporate assets*
éléments d'actif non sectoriels n. m. pl.

345. *corporate image*
réputation de la société n. f.;
image de la société n. f.

346. *corporate name;*
firm name 1
dénomination sociale n. f.
Note. — Nom sous lequel une société de capitaux exerce son activité.

347. *corporate trustee*
Syn. de *trust company*

348. *corporation*
Syn. de *business corporation*

349. *correction*
rectification n. f.

350. *correction of prices*
rectification des cours n. f.

351. *cost of a share*
prix d'achat d'une action n. m.

352. *counter-offer*
Syn. de *increase in price*

353. *counter value 1*
contre-valeur n. f.

354. *counter value 2*
valeur d'échange n. f.

355. *country bank 1*
prêteur parabancaire n. m.

356. *country bank 2*
organisme parabancaire n. m.

357. *coupon*
coupon n. m.

358. *coupon bond*
obligation à coupons n. f.

359. *coupon date*
échéance d'un coupon n. f.

360. *coupon payable*
coupon dû n. m.

361. *coupon rate*
taux d'intérêt nominal n. m.;
taux d'intérêt contractuel n. m.

362. *coupon sheet*
feuille de coupons n. f.

363. *coupon yield*
rendement au taux du coupon n. m.

364. *course of prices*
évolution des cours n. f.

365. *cover*
Syn. de *margin 1*

366. *cover, to*
Syn. de *to hedge*

367. *coverage*
couverture 1 n. f.

368. *coverage requirement*
exigence de couverture n. f.

369. *crash 1*
krach n. m.

370. *crash 2*
Syn. de *break in stocks*

371. *credit balance*
solde créditeur n. m.

372. *credit company*
Syn. de *finance company*

373. *credit on securities*
crédit sur titres n. m.

374. *credit stringency*
restriction de crédit n. f.;
resserrement de crédit n. m.

375. *creditor*
créancier n. m.

376. *cross on the board;*
put through;
contra order
application n. f.

377. *crumble, to*
s'effriter v. pron.

378. *cum coupon*
coupon attaché loc. adj.

379. *cum dividend*
avec dividende loc. adj.;
dividende attaché (FR) loc. adj.

380. *cum rights*
avec droits loc. adj.;
droits attachés (FR) loc. adj.

381. *cumulative dividend*
dividende cumulatif n. m.

382. *cumulative preference share;*
cumulative preferred share
action privilégiée à dividende cumulatif n. f.

383. *cumulative preferred share*
Syn. de *cumulative preference share*

384. *cumulative share*
action à dividende cumulatif n. f.

385. *cumulative voting rights*
droits de vote cumulatifs n. m. pl.

386. *curb, to*
enrayer v. tr.;
freiner v. tr.
Note. — En parlant de l'inflation, de la spéculation.

387. *currency*
Syn. de *foreign currency*

388. *current assets*
actif à court terme n. m.;
fonds de roulement brut n. m.

389. *current assets ratio*
coefficient du fonds de roulement n. m.

390. *current issue*
émission en cours n. f.

391. *current market price;*
quotation of the day
cours du jour n. m.

392. *current market value*
valeur au cours du marché n. f.

393. *customers' ledger;*
accounts receivable ledger
relevé de compte des clients n. m.

D

394. *daily loan*
Syn. de *day-to-day loan*

395. *daily money rate*
Syn. de *call money rate*

396. *daily quotation sheet*
cote officielle quotidienne n. f.;
cote quotidienne n. f.

397. *date of exercise 1*
date d'exercice n. f.
Note. — En parlant du droit.

398. *date of exercise 2*
date de levée n. f.
Note. — En parlant de l'option.

399. *date of maturity*
Syn. de *maturity date*

400. *date of record*
Syn. de *record date*

401. *day loan*
Syn. de *day-to-day loan*

402. *day order;*
order valid today
ordre valable jour n. m.

403. *day-to-day loan;*
day loan;
daily loan
prêt au jour le jour n. m.

404. *day-to-day money*
Syn. de *call money*

405. *dead*
inactif adj.

406. *dead account*
compte inactif n. m.;
compte improductif n. m.

407. *deal*
Syn. de *trade*

408. *deal, to*
traiter v. tr.

409. *deal firm, to*
traiter ferme v. tr.

410. *deal flat, to;*
to deal net
traiter net v. tr.

411. *deal in options, to*
traiter des options v. tr.;
négocier des options v. tr.

412. *deal net, to*
Syn. de *to deal flat*

413. *deal on the stock exchange, to*
traiter en bourse v. tr.;
négocier en bourse v. tr.

414. *dealer*
courtier 2 n. m.
Note. — Le *dealer*, contrairement au *broker*, n'agit pas seulement comme courtier pour ses clients pour l'achat et la vente de valeurs mobilières, mais peut aussi faire la contrepartie.

415. *dealings for a fall*
opérations à la baisse n. f. pl.

416. *dealings for a rise*
opérations à la hausse n. f. pl.

417. *dealt*
opéré adj.;
traité adj.

418. *dear money*
argent cher n. m.

419. *debenture 1*
Syn. de *bond 1*

420. *debenture 2;*
unsecured bond (US);
unsecured debenture (GB)
obligation non garantie n. f.
Note. — Le terme *débenture*, employé au Canada, s'entend généralement d'une obligation non garantie mais on le rencontre parfois au sens générique d'obligation.

421. *debenture debt*
emprunt sous forme d'obligations non garanties n. m.

422. *debenture holder*
titulaire d'obligations non garanties n. m.

423. *debenture issue*
émission d'obligations non garanties n. f.

424. *debit, to*
Syn. de *to charge*

425. *debt*
Syn. de *liability 2*

426. *debt security*
titre d'emprunt n. m.

427. *decline in prices; price decline*
fléchissement des cours n. m.

428. *decline of stock*
effritement des actions n. m.

429. *decrease in value*
Syn. de *loss in value*

430. *deed of trust*
Syn. de *trust indenture*

431. *deferred asset*
Syn. de *deferred charge*

432. *deferred charge; deferred asset*
frais reportés n. m. pl.;
charge reportée n. f.

433. *deferred dividend*
dividende différé n. m.

434. *deferred income taxes; deferred taxes*
impôts reportés n. m. pl.;
impôts différés n. m. pl.

435. *deferred interest*
intérêt différé n. m.

436. *deferred share*
action à dividende différé n. f.

437. *deferred taxes*
Syn. de *deferred income taxes*

438. *deficiency letter*
observations n. f. pl.
Note. — Il s'agit d'un document énonçant les modifications qui doivent être apportées à un prospectus.

439. *deliver free of payment, to*
livrer franco valeur v. tr.

440. *deliver stock, to*
livrer des actions v. tr.

441. *delivery*
livraison n. f.

442. *delivery conditions*
conditions de livraison n. f. pl.

443. *delivery department*
service de livraison n. m.

444. *delivery regulation*
règlement relatif à la livraison n. m.

445. *denomination 1*
coupure n. f.
Note. — Dans le cas d'une obligation.

446. *denomination 2*
nombre d'actions n. m.
Note. — À propos d'un certificat.

447. *depletion*
épuisement n. m.

448. *depository*
dépositaire n. m.;
gardien n. m.

449. *depreciation 1*
amortissement 2 n. m.

450. *depreciation 2*
dépréciation 1 n. f.

451. *depreciation of currency*
dépréciation monétaire n. f.

452. *depression*
Syn. de *acute depression*

453. *deregistration*
radiation d'inscription n. f.

454. *devaluation*
dévaluation n. f.

455. *digested issue*
émission bien placée n. f.

456. *dilution*
dilution 1 n. f.

457. *direct and indirect holdings*
participation directe et indirecte n. f.

458. *director*
administrateur n. m.
administratrice n. f.

459. *directors' fees*
jetons de présence n. m. pl.

460. *directors and officers*
dirigeants n. m. pl.
dirigeantes n. f. pl.

461. *disclosure*
information n. f.

462. *disclosure document*
document d'information n. m.

463. *disclosure legislation*
lois axées sur l'information n. f. pl.

464. *disclosure requirements*
obligations d'information n. f. pl.

465. *discount 1*
décote n. f.

466. *discount 2*
rabais n. m.

467. *discount bound*
obligation avec décote n. f.

468. *discount broker*
courtier exécutant n. m.

469. *discount rate;*
bank rate
taux d'escompte n. m.;
taux de l'escompte n. m.

470. *discretionary account*
compte géré en vertu d'un contrat de gestion n. m.

471. *discretionary order*
ordre à appréciation n. m.

472. *distribute, to*
placer v. tr.

473. *distribute securities to the public, to*
faire appel publiquement à l'épargne v. tr.

474. *distribution 1*
distribution n. f.
Note. — À propos des dividendes.

475. *distribution 2;*
distribution of securities
placement 1 n. m.;
placement de valeurs n. m.;
opération de placement n. f.
Note. — La plupart du temps, il s'agit d'un placement d'une émission nouvelle (*primary distribution*). Parfois, il peut s'agir non d'un placement, mais d'un reclassement de bloc de titres (*secondary distribution*).

476. *distribution cease*
interruption du placement n. f.

477. *distribution of securities*
Syn. de *distribution 2*

478. *dividend*
dividende n. m.

479. *dividend announcement*
déclaration de dividende n. f.

480. *dividend check*
chèque-dividende n. m.

481. *dividend coupon*
coupon-dividende n. m.

482. *dividend credit*
dividende crédité n. m.

483. *dividend disbursing agent*
agent payeur des dividendes n. m.

484. *dividend in arrears*
Syn. de *arrears of dividend*

485. *dividend paid out of capital*
Syn. de *capital dividend*

486. *dividend payment*
versement de dividende n. m.;
paiement de dividende n. m.

487. *dividend payout;*
dividend payout ratio;
payout ratio
pourcentage du bénéfice net distribué en dividendes n. m.;
ratio des dividendes au bénéfice n. m.;
ratio de distribution n. m.

488. *dividend payout ratio*
Syn. de *dividend payout*

489. *dividend reinvestment*
réinvestissement de dividendes n. m.

490. *dividend reinvestment plan*
plan de réinvestissement de dividendes n. m.

491. *division of the market*
secteur du marché n. m.

492. *do not reduce*
Syn. de *do not reduce limit*

493. *do not reduce limit;*
do not reduce
ne pas réduire la limite loc. v.
Note. — En parlant d'un ordre.

494. *dollar area*
zone dollar n. f.

495. *dollar cost averaging 1*
achats périodiques par sommes fixes n. m. pl.

496. *dollar cost averaging 2*
coût moyen des actions achetées par sommes fixes n. m.

497. *dollar exchange*
cours du dollar n. m.

498. *dollar transaction*
opération en dollars n. f.

499. *domestic*
local adj.;
interne adj.
Note. — Éviter le terme *domestique.*

500. *dominant position*
position dominante n. f.

501. *dormant company;*
non-operating company
société inactive n. f.;
société en sommeil n. f.

502. *Dow Jones index*
indice Dow Jones n. m.
Note. — Des valeurs industrielles.

503. *down tick;*
minus tick
négociation à un cours inférieur n. f.
Note. — Le cours étant inférieur à celui de la négociation précédente.

504. *downturn*
repli n. m.

505. *downward trend;*
bearish tendency
tendance à la baisse n. f.

506. *drain of capital*
épuisement de capital n. m.

507. *draw, to*
racheter par voie de tirage au sort v. tr.;
rembourser par voie de tirage au sort v. tr.

508. *drawing of bonds*
tirage au sort d'obligations n. m.

509. *drawn bond*
obligation sortie au tirage n. f.

510. *drift downward, to*
se dégrader v. pron.

511. *drop in value 1*
Syn. de *loss in value*

512. *drop in value 2*
chute des prix n. f.

513. *drop in value 3*
chute des cours n. f.

514. *dual licensing*
cumul d'inscriptions n. m.

515. *due date*
Syn. de *maturity date*

516. *dull market*
marché terne n. m.;
marché sans entrain n. m.;
marché sans animation n. m.

517. *dummy*
prête-nom 1 n. m.
Note. — Le terme anglais est de langue familière et a une connotation péjorative.

518. *duplicate*
duplicata n. m.;
double n. m.

519. *duration of conversion;*
length of conversion
durée de conversion n. f.

520. *dwindling of assets*
diminution de l'actif n. f.

E

521. *early redemption*
rachat anticipé n. m.

522. *earnings*
Syn. de *gain*

523. *earnings per share*
bénéfice par action n. m.

524. *ease, to*
reculer v. tr.
Note. — En parlant de la bourse.

525. *easier market*
marché moins soutenu n. m.;
marché alourdi n. m.

526. *easing off*
détente n. f.
Note. — S'applique au marché.

527. *eligible investment*
Syn. de *legal investment*

528. *endorse, to*
endosser v. tr.
Note. — On endosse un certificat.

529. *endorser*
endosseur n. m.
endosseuse n. f.

530. *equipment trust bond*
Syn. de *equipment trust certificate*

531. *equipment trust certificate;*
equipment trust bond
titre garanti par nantissement de matériel n. m.

532. *equity*
Syn. de *equity capital*

533. *equity capital;*
shareholders' equity;
equity
capitaux propres 2 n. m. pl.;
fonds propres n. m. pl.;
avoir des actionnaires n. m.

534. *equity investment*
placement en actions n. m.

535. *equity security;*
investment 3
titres de participation n. m. pl.

536. *equity value 1*
valeur nette réelle n. f.

537. *equity value 2*
valeur comptable d'une entreprise n. f.

538. *escrow*
blocage de titres n. m.;
dépôt de titres entre les mains d'un tiers n. m.

539. *escrow agreement*
convention de blocage de titres n. f.

540. *escrowed share;*
share under escrow
action bloquée n. f.

541. *evaluation day*
Syn. de *valuation day*

542. *ex coupon*
coupon détaché loc. adj.;
ex-coupon loc. adj.

543. *ex dividend*
ex-dividende loc. adj.;
dividende détaché (FR) loc. adj.

544. *ex-rights*
ex-droit loc. adj.;
droit détaché (FR) loc. adj.

545. *ex warrant*
ex-bon de souscription loc. adj.;
bon de souscription détaché loc. adj.

546. *exchange 1*
Syn. de *foreign currency*

547. *exchange 2*
Syn. de *stock exchange*

548. *exchange control board*
contrôle des changes n. m.

549. *exchange for, to*
convertir en 2 v. tr.

550. *exchange for forward delivery*
opérations de livraison à terme n. f. pl.

551. *exchange for spot delivery*
opérations de livraison au comptant n. f. pl.

552. *exchange holdings*
avoirs en devises n. m. pl.

553. *exchange loss*
Syn. de *foreign exchange loss*

554. *exchange of securities*
échange de titres n. m.

555. *exchange permit*
autorisation de change n. f.

556. *exchange premium 1*
prime du change n. f.

557. *exchange premium 2*
agio n. m.

558. *exchange rate*
Syn. de *rate of exchange*

559. *executive offices*
direction n. f.

560. *exemption*
dispense n. f.

561. *exercise of an option*
Syn. de *taking up an option*

562. *exercise price 1*
prix d'exercice n. m.

563. *exercise price 2;*
option price
prix de levée d'option n. m.

564. *exercise the vote, to*
exercer le droit de vote v. tr.

565. *expel, to*
expulser v. tr.
Note. — Il s'agit de l'expulsion de la bourse.

566. *expiration*
expiration n. f.

567. *expiration date*
date d'expiration n. f.

568. *expire, to*
échoir 1 v. tr.;
venir à expiration v. tr.;
expirer v. tr.

569. *expired*
périmé 1 adj.;
expiré 1 adj.

570. *expiry*
clôture n. f.
Note. — Dans le cas d'une offre publique.

571. *extended bond*
Syn. de *extendible bond*

572. *extendible bond;*
extended bond
obligation à échéance reportable n. f.

573. *extension*
prorogation n. f.

574. *external assets*
avoirs à l'étranger n. m. pl.;
biens à l'étranger n. m. pl.

575. *external auditor*
vérificateur externe n. m.
vérificatrice externe n. f.

576. *extra charges*
frais supplémentaires n. m. pl.

577. *extra dividend*
dividende supplémentaire n. m.

578. *extra income*
revenu accessoire n. m.

579. *extract of account*
Syn. de *statement of account*

F

580. *face amount*
Syn. de *par value*

581. *face value*
Syn. de *par value*

582. *fail*
défaut de livraison n. m.
Note. — Livraison à la chambre de compensation.

583. *fail 1, to*
manquer à un engagement v. tr.

584. *fail 2, to*
Syn. de *to go bankrupt*

585. *fair deal*
opération équitable n. f.

586. *fair return*
rendement équitable n. m.;
rendement raisonnable n. m.

587. *fall*
baisse n. f.;
chute n. f.

588. *fall back, to*
se replier v. pron.
Note. — En parlant des cours.

589. *fall due, to*
échoir 2 v. tr.;
venir à échéance 1 v. tr.;
arriver à échéance v. tr.

590. *fall in prices*
baisse des cours n. f.

591. *Federal Reserve System* (US)
Banque fédérale de réserve n. f.

592. *fee*
droit 1 n. m.

593. *fiat money*
monnaie fiduciaire n. f.;
papier monnaie n. m.

594. *fictitious assets*
actif fictif n. m.

595. *fictitious liabilities*
passif fictif n. m.

596. *file, to*
déposer v. tr.

597. *filing*
dépôt n. m.

598. *filing statement*
avenant au dossier d'inscription à la cote n. m.

599. *fill an order, to*
exécuter un ordre v. tr.

600. *final dividend 1*
dernier dividende de l'exercice n. m.

601. *final dividend 2*
paiement final n. m.

602. *final prospectus*
prospectus définitif n. m.

603. *finance company;*
credit company
société de crédit n. f.;
société de prêts n. f.
Note. — Éviter le terme *compagnie de finance.*

604. *financial analyst*
analyste financier n. m.
analyste financière n. f.

605. *financial intermediary*
intermédiaire financier n. m.

606. *financial market;*
capital market
marché financier 1 n. m.;
marché des capitaux n. m.
Note. — Marché des capitaux investis à long terme.

607. *financial outlook*
perspectives financières n. f. pl.

608. *financial sharks*
requins de la finance n. m. pl.;
aigrefins n. m. pl.;
escrocs n. m. pl.

609. *financial soundness*
solidité financière n. f.;
surface n. f.

610. *financial statements*
états financiers n. m. pl.

611. *financial stringency*
resserrement monétaire n. m.;
raréfaction des capitaux n. f.

612. *financing*
financement n. m.

613. *financing through retained earnings*
autofinancement n. m.

614. *finder's fee*
commission de démarcheur n. f.

615. *finish*
clôture 2 n. f.

616. *firm 1*
Syn. de *business firm*

617. *firm 2;*
strong;
steady
ferme adj.;
soutenu adj.;
stable adj.

618. *firm bid 1*
cours d'achat ferme n. m.

619. *firm bid 2*
demande ferme n. f.

620. *firm buyer*
acheteur ferme n. m.
acheteuse ferme n. f.

621. *firm name 1*
Syn. de *corporate name*

622. *firm name 2*
raison sociale n. f.
Note. — Nom sous lequel une société de personnes exerce son activité.

623. *firm offering 1*
cours de vente ferme n. m.

624. *firm offering 2*
offre ferme n. f.

625. *firm seller*
vendeur ferme n. m.
vendeuse ferme n. f.

626. *(firm) underwriter;*
investment banker (US)
preneur ferme n. m.

627. *(firm) underwriting*
prise ferme n. f.

628. *first mortgage bond*
obligation de première hypothèque n. f.
Note. — Obligation garantie par une hypothèque de premier rang.

629. *first preference share*
Syn. de *first preferred share*

630. *first preferred share;*
first preference share
action privilégiée de premier rang n. f.

631. *fiscal agency*
agence financière n. f.

632. *fiscal agent*
agent financier n. m.
agente financière n. f.

633. *fiscal period;*
fiscal year
exercice financier n. m.;
exercice n. m.

634. *fiscal year*
Syn. de *fiscal period*

635. *fix a price 1, to*
fixer un cours 1 v. tr.

636. *fix a price 2, to*
fixer un prix v. tr.

637. *fixed assets*
actif immobilisé n. m.;
actif fixe n. m.;
immobilisations n. f. pl.;
valeurs immobilisées n. f. pl.

638. *fixed capital*
capital fixe n. m.;
capitaux fixes n. m. pl.

639. *fixed charge*
charge fixe n. f.

640. *fixed income security*
valeur à revenu fixe n. f.

641. *flat*
sans intérêts courus loc. prép.

642. *flat market*
marché calme n. m.

643. *flat quotation*
cours sans intérêts courus n. m.

644. *flat yield on an investment*
rendement courant d'un placement n. m.

645. *flight of capital*
fuite des capitaux n. f.;
évasion des capitaux n. f.

646. *floating assets*
Syn. de *quick assets*

647. *floating capital*
Syn. de *working capital*

648. *floating charge*
charge flottante n. f.
Note. — Type de sûreté consenti en garantie d'une dette.

649. *floating stock*
actions détenues en position spéculative n. f. pl.

650. *floor;*
trading floor
parquet n. m.

651. *floor committee*
comité de discipline du parquet n. m.;
comité du parquet n. m.

652. *floor trader*
négociateur en bourse n. m.
négociatrice en bourse n. f.

653. *fluctuations;*
price movements
fluctuation des cours n. f.

654. *food shares*
valeurs alimentaires n. f. pl.;
alimentaires n. f. pl.

655. *for account of;*
on account of;
on behalf of
pour le compte de loc.

656. *force the market, to*
forcer le cours v. tr.

657. *foreign bond*
obligation étrangère n. f.

658. *foreign currency;*
foreign exchange;
exchange 1;
currency
monnaie étrangère n. f.;
devise étrangère n. f.;
devise n. f.

659. *foreign exchange*
Syn. de *foreign currency*

660. *foreign exchange loss;*
exchange loss
perte de change n. f.;
perte sur change n. f.

661. *foreign securities*
valeurs étrangères n. f. pl.

662. *forfeited share*
action perdue par défaut n. f.;
action confisquée n. f.

663. *forfeiture 1*
déchéance n. f.

664. *forfeiture 2*
confiscation n. f.

665. *form of proxy*
Syn. de *proxy form*

666. *formula investing 1*
formule de placement n. f.

667. *formula investing 2*
Syn. de *investment practice*

668. *forward prices*
évaluation postérieure n. f.

669. *founder's shares;*
promoter's shares
actions de fondateur n. f. pl.;
actions de promoteur n. f. pl.;
parts de fondateur n. f. pl.;
parts de promoteur n. f. pl.

670. *fractional lot*
Syn. de *odd-lot*

671. *fraudulent bankruptcy*
faillite frauduleuse n. f.

672. *free credit balance*
solde créditeur libre n. m.

673. *free market*
marché libre 1 n. m.

674. *free of payment*
franco adv.

675. *free of tax*
exempt d'impôt loc. adj.;
libre d'impôt loc. adj.

676. *free stock*
actions libres n. f. pl.

677. *front-end load*
Syn. de *front load*

678. *front-end loading*
Syn. de *front load*

679. *front load;*
front-end load;
front-end loading
frais prélevés sur les premiers versements n. m. pl.
Note. — Cette pratique est exercée par certaines Sicav (sociétés d'investissement à capital variable).

680. *full disclosure*
information complète n. f.;
exposé complet, clair et véridique n. m.

681. *full lot*
Syn. de *round lot*

682. *fully diluted earnings per share*
bénéfice dilué par action n. m.
Note. — Compte tenu des émissions éventuelles d'actions.

683. *fully entitled to the dividend*
ayant droit absolu au dividende loc. v.

684. *fully paid share*
action entièrement libérée n. f.

685. *fully registered bond*
obligation immatriculée, capital et intérêts n. f.

686. *fund*
Syn. de *reserve fund*

687. *fundamental analysis*
analyse fondamentale n. f.

688. *funded debt 1*
dette à long terme n. f.

689. *funded debt 2*
dette consolidée n. f.

690. *funding loan*
emprunt de consolidation n. m.

691. *futures contract*
contrat à terme n. m.

692. *futures market*
marché à terme n. m.

G

693. *gain;*
earnings;
profit
bénéfice n. m.;
gain n. m.;
profit n. m.

694. *gain sharing*
participation aux bénéfices n. f.

695. *gamble on a rise in prices, to*
jouer à la hausse v. tr.

696. *gamble on the stock exchange, to;*
to play the market;
to play the stock market
jouer à la bourse v. tr.

697. *general meeting of shareholders*
assemblée générale des actionnaires n. f.

698. *general mortgage bond*
obligation d'hypothèque générale n. f.

699. *genuine assets*
actif réel n. m.

700. *genuine liabilities*
passif réel n. m.

701. *get back one's money, to*
rentrer dans ses fonds v. tr.;
recouvrer son argent v. tr.

702. *gilt-edged market*
marché des valeurs de premier ordre n. m.

703. *gilt-edged security*
Syn. de *blue chip*

704. *give up, to*
renoncer v. tr.

705. *give way, to*
céder v. tr.

706. *giving collateral*
transfert de garantie n. m.

707. *glut the market, to*
saturer le marché v. tr.;
inonder le marché v. tr.

708. *go bankrupt, to;*
to fail 2
faire faillite loc. v.

709. *go bear, to*
vendre à découvert 1 v. tr.

710. *go ex dividend, to*
se traiter sans dividende v. pron.
Note. — En parlant d'une action.

711. *go-go fund*
Syn. de *performance fund*

712. *go public, to*
faire appel public à l'épargne loc. v.;
s'introduire en bourse v. pron.

713. *go short, to*
Syn. de *to sell short*

714. *going concern*
entreprise en pleine activité n. f.;
entreprise en activité n. f.;
entreprise en exploitation n. f.

715. *gold shares;*
golds
valeurs aurifères n. f. pl.;
aurifères n. f. pl.

716. *golds*
Syn. de *gold shares*

717. *good delivery, to be*
être de bonne livraison v. tr.
Note. — Ce que tout titre devrait être à la suite de négociations.

718. *good until cancelled;*
good until countermanded;
valid until cancelled;
until cancelled
à révocation loc. prép.
Note. — Un ordre de bourse peut être de durée déterminée ou à révocation.

719. *good until countermanded*
Syn. de *good until cancelled*

720. *goodwill*
achalandage n. m.

721. *government bond*
obligation d'État n. f.;
emprunt d'État n. m.;
fonds d'État (FR) n. m.

722. *gross*
brut adj.

723. *gross profit margin*
marge bénéficiaire brute n. f.;
marge brute n. f.

724. *group savings plan*
plan collectif d'épargne n. m.

725. *growth company*
société en pleine croissance n. f.;
société à fort potentiel de croissance n. f.

726. *growth stock*
valeur d'avenir n. f.;
valeur de croissance n. f.

727. *guaranteed debt security*
titre d'emprunt garanti n. m.

H

728. *harden 1, to*
se raffermir v. pron.

729. *harden 2, to;*
to be on the up grade
être en hausse v. tr.

730. *hedge;*
hedging
opération de couverture n. f.

731. *hedge, to;*
to cover
se couvrir v. pron.

732. *hedger*
opérateur en couverture n. m.
opératrice en couverture n. f.

733. *hedging*
Syn. de *hedge*

734. *hesitant market*
marché indécis n. m.;
marché hésitant n. m.

735. *hidden reserve*
réserve cachée n. f.

736. *high-class investment*
placement de premier ordre n. m.

737. *high-priced share*
valeur chère n. f.;
valeur à cours élevé n. f.

738. *highest and lowest quotation*
Abrév. *H.-L.*
cours extrêmes n. m. pl.
Note. — En français, on utilise l'abréviation *h.-b.* (haut et bas).

739. *highest sale*
vente au plus haut cours n. f.

740. *H.-L.*
Abrév. de *highest and lowest quotation*

741. *hoard;*
hoarding
thésaurisation n. f.

742. *hoarding*
Syn. de *hoard*

743. *hold well 1, to*
se maintenir v. pron.

744. *hold well 2, to*
rester stable v. tr.

745. *hold well 3, to*
se défendre v. pron.
Note. — En parlant d'actions.

746. *holder*
porteur n. m.
porteuse n. f.;
détenteur n. m.
détentrice n. f.

747. *holder in trust*
détenteur en fiducie n. m.

748. *holder of a seat*
titulaire d'un siège n.
Note. — Un siège en bourse.

749. *holder of record;*
owner of record
porteur inscrit à la date de clôture des registres n. m.
porteuse inscrite à la date de clôture des registres n. f.

750. *holding company;*
investment company 1
société de portefeuille n. f.

751. *hot money*
capitaux fébriles n. m. pl.;
capitaux flottants n. m. pl.

752. *hypothecate securities, to*
remettre des titres en nantissement v. tr.

753. *hypothecation*
affectation en garantie n. f.

I

754. *identifiable assets*
éléments d'actif sectoriels n. m. pl.;
actif sectoriel n. m.

755. *if, as and when issued*
sous les réserves d'usage loc. adv.
Note. — Lors de l'offre d'une nouvelle émission de titres.

756. *illiquid investment*
placement non liquide n. m.

757. *in active demand*
très recherché loc. adj.

758. *in-and-out*
aller et retour loc. adv.

759. *in stock exchange parlance*
en termes de bourse loc. prép.

760. *income bond*
obligation à intérêt conditionnel n. f.;
obligation à revenu variable n. f.

761. *income debenture*
obligation non garantie à intérêt conditionnel n. f.

762. *income from shares*
revenu d'actions n. m.

763. *income statement*
état des résultats n. m.;
compte de résultats (FR et BE) n. m.

764. *incorporated*
constitué en société loc. adj.

765. *incorporated mutual fund; open-end investment company; open-end fund*
société d'investissement à capital variable n. f.;
Abrév. **Sicav**

766. *incorporating document*
document constitutif n. m.

767. *incorporation*
constitution en société n. f.

768. *increase in price; counter-offer*
surenchère n. f.

769. *increase in value*
plus-value 3 n. f.;
accroissement de valeur n. m.
Note. — Gain résultant de l'accroissement de la valeur réelle d'un élément d'actif par rapport à sa valeur comptable.

770. *indenture*
Syn. de *bond indenture*

771. *index*
indice 1 n. m.

772. *index number of securities*
nombre indice des valeurs mobilières n. m

773. *index option*
option sur indice n. f.

774. *indexed bond*
obligation indexée n. f.

775. *indexed loan*
emprunt indexé n. m.

776. *indicator*
indicateur n. m.;
baromètre n. m.

777. *industrial shares; industrials*
valeurs industrielles n. f. pl.;
industrielles n. f. pl.

778. *industrials*
Syn. de *industrial shares*

779. *inflation*
inflation n. f.

780. *inflationary*
inflationniste adj.
Note. — Éviter le terme *inflationnaire*.

781. *information circular*
Syn. de *circular*

782. *ingot*
lingot n. m.
Note. — Lingot d'or ou d'argent.

783. *inside information; privileged information*
information privilégiée n. f.

784. *insider*
initié n. m.
initiée n. f.

785. *insider report*
déclaration d'initié n. f.

786. *institution*
institution n. f.

787. *institutional investor*
investisseur institutionnel n. m.

788. *instrument 1*
effet n. m.

789. *instrument 2*
acte n. m.

790. *instrument of proxy; proxy instrument*
procuration 2 n. f.

791. *insurance shares*
actions d'assurances n. f. pl.
Note. — Actions provenant de sociétés d'assurances.

792. *interest 1*
intérêt n. m.

793. *interest 2*
droit 2 n. m.

794. *interest 3; ownership interest*
participation n. f.;
part 1 n. f.

795. *interest bearing*
portant intérêt loc. v.

796. *interest component*
part d'intérêts n. f.

797. *interest coupon*
coupon d'intérêts n. m.

798. *interest coverage*
couverture de l'intérêt n. f.

799. *interest rate*
Syn. de *rate of interest*

800. *interim certificate*
Syn. de *provisional certificate*

801. *interim dividend*
dividende provisoire n. m.
Note. — Éviter le terme *dividende intérimaire.*

802. *interim report*
rapport périodique n. m.
Note. — Éviter le terme *rapport intérimaire.*

803. *interim results*
résultats périodiques n. m. pl.
Note. — Éviter le terme *résultats intérimaires.*

804. *international security*
valeur internationale n. f.

805. *intrinsic value*
valeur intrinsèque n. f.

806. *introduction price*
prix d'introduction n. m.;
prix de lancement n. m.;
prix initial n. m.

807. *inventory 1*
stock n. m.
Note. — Éviter le terme *inventaire* au sens de *stock.*

808. *inventory 2*
inventaire n. m.
Note. — Il peut s'agir de l'inventaire des titres.

809. *inventory turnover*
rotation des stocks n. f.

810. *investment 1*
investissement n. m.;
placement 2 n. m.

811. *investment 2;*
capital investment
mise de fonds n. f.

812. *investment 3*
Syn. de *equity security*

813. *investment 4*
placement 3 n. m.
Note. — Titres dans lesquels on effectue un placement.

814. *investment banker*
Syn. de *(firm) underwriter*

815. *investment club*
club d'investissement n. m.

816. *investment company 1*
Syn. de *holding company*

817. *investment company 2;*
investment trust
société d'investissement n. f.;
société de placement n. f.

818. *investment contract*
contrat d'investissment n. m.

819. *investment dealer*
courtier en valeurs mobilières 1 n. m.

820. *investment department*
service des placements n. m.

821. *investment in securities*
investissement en valeurs mobilières n. m.;
placement en valeurs mobilières n. m.

822. *investment objectives*
objectifs d'investissement n. m. pl.;
objectifs de placement n. m. pl.

823. *investment policy*
politique d'investissement n. f.;
politique de placement n. f.

824. *investment practice;*
formula investing 2
pratique de placement n. f.;
technique de placement n. f.;
méthode de placement n. f.

825. *investment trust*
Syn. de *investment company 2*

826. *investor*
épargnant n. m.
épargnante n. f.;
investisseur n. m.
investisseuse n. f.

827. *iron and steel shares;*
steel shares;
steels
valeurs sidérurgiques n. f. pl.;
sidérurgiques n. f. pl.

828. *irredeemable*
V. o. *unredeemable*
non rachetable loc. adj.;
non remboursable loc. adj.

829. *issue 1*
émission 1 n. f.
Note. — L'émission de titres.

830. *issue 2*
émission 2 n. f.
Note. — Les titres émis.

831. *issue a debt security, to*
émettre un emprunt v. tr.

832. *issue a prospectus, to*
viser un prospectus v. tr.

833. *issue at par*
émission au pair n. f.;
émission à la valeur nominale n. f.

834. *issue department*
service des émissions n. m.

835. *issue price*
prix d'émission n. m.

836. *issuer*
émetteur n. m.

837. *issuer bid*
offre publique de rachat n. f.

838. *issuer-distributor*
émetteur-placeur n. m.

J

839. *joint holder*
Syn. de *joint owner*

840. *joint owner;*
joint holder
copropriétaire n.;
cotitulaire n.
Note. — Personne qui détient des titres conjointement avec une ou plusieurs autres personnes.

841. *junior financing*
financement par titres de second rang n. m.

842. *junior industrial*
valeur industrielle de second rang n. f.;
valeur industrielle de rang inférieur n. f.

843. *junior mining*
valeur minière de second rang n. f.;
valeur minière de rang inférieur n. f.

844. *junior security*
titre de second rang n. m.;
titre de rang inférieur n. m.

L

845. *labour intensive industry*
industrie à prédominance de main-d'oeuvre n. f.

846. *lapsed 1*
expiré 2 adj.;
écoulé adj.

847. *lapsed 2*
périmé 2 adj.;
déchu adj.

848. *large market*
marché vaste n. m.;
marché étendu n. m.

849. *launch, to*
lancer v. tr.
Note. — On lance un emprunt, une émission de titres.

850. *lead manager*
Syn. de *lead underwriter*

851. *lead underwriter;*
lead manager
chef de file n.

852. *leader*
vedette n. f.

853. *leading oils*
pétrolières en vedette n. f. pl.

854. *leaseback*
Syn. de *sale and leaseback*

855. *legal investment;*
eligible investment
placement admissible n. m.

856. *lend stock, to*
prêter des titres v. tr.

857. *lender of last resort*
prêteur en dernier ressort n. m.

858. *lending*
prêt n. m.

859. *length of conversion*
Syn. de *duration of conversion*

860. *letter of allotment*
avis d'attribution n. m.

861. *letter stock* (US);
lettered stock
actions à négociabilité restreinte n. f. pl.

862. *lettered stock*
Syn. de *letter stock*

863. *level, to*
niveler v. tr.
Note. — S'applique à un cours.

864. *leverage*
effet de levier n. m.

865. *leverage factor*
facteur d'accroissement n. m.;
facteur d'amplification n. m.

866. *liabilities*
passif n. m.

867. *liability 1*
élément de passif n. m.

868. *liability 2;*
debt
dette n. f.

869. *lien*
sûreté réelle n. f.
Note. — Il peut s'agir d'un droit de rétention ou d'un privilège.

870. *limit order;*
limited order
ordre à cours limité n. m.

871. *limited liability company*
Syn. de *business corporation*

872. *limited order*
Syn. de *limit order*

873. *limited partnership*
société en commandite n. f.

874. *line of shares*
Syn. de *block of shares*

875. *liquid assets;*
liquidities
liquidités n. f. pl.;
biens liquides n. m. pl.

876. *liquid investment*
placements liquides n. m. pl.

877. *liquidation*
liquidation n. f.

878. *liquidation value;*
break-up value
valeur de liquidation n. f.

879. *liquidities*
Syn. de *liquid assets*

880. *liquidity*
liquidité n. f.

881. *list, to*
inscrire à la cote v. tr.

882. *list of securities forwarded*
bordereau d'expédition de titres n. m.

883. *listed securities*
titres inscrits en bourse n. m. pl.;
titres cotés n. m. pl.;
valeurs inscrites en bourse n. f. pl.;
valeurs cotées n. f. pl.

884. *listing fee*
droit d'admission à la cote n. m.

885. *listing of securities*
inscription des titres à la cote n. f.

886. *listing requirements*
conditions d'admission à la cote n. f. pl.;
conditions d'introduction en bourse n. f. pl.

887. *listing statement*
déclaration d'admission à la cote n. f.

888. *listless*
apathique adj.;
terne adj.

889. *load*
frais d'achat n. m. pl.;
frais d'acquisition n. m. pl.
Note. — Il s'agit de frais d'achat ou d'acquisition d'actions ou de parts de fonds commun de placement.

890. *loan capital*
capital d'emprunt n. m.

891. *loan on stock*
prêt sur titres n. m.

892. *local securities*
valeurs locales n. f. pl.

893. *locked in*
bloqué adj.
Note. — En parlant d'un investisseur.

894. *long in stock, to be*
posséder des actions v. tr.;
être à couvert v. tr.

895. *long position*
position acheteur n. f.

896. *loss in value;*
drop in value 1;
decrease in value;
reduction in value
moins-value 2 n. f.;
dépréciation 2 n. f.;
perte de valeur n. f.

897. *lowest sale*
vente au cours le plus bas n. f.

M

898. *major trend*
tendance dominante n. f.

899. *majority interest;*
controlling interest
participation majoritaire n. f.;
intérêts majoritaires n. m. pl.

900. *make a market, to*
coter un marché sur un titre v. tr.

901. *management agreement*
convention de direction n. f.

902. *management contract*
contrat de gestion n. m.

903. *management share*
action d'administrateur n. f.

904. *manipulation of the market;*
manipulation on the market;
manipulation on the stock exchange
manœuvre de bourse n. f.;
manipulation du marché n. f.

905. *manipulation on the market*
Syn. de *manipulation of the market*

906. *manipulation on the stock exchange*
Syn. de *manipulation of the market*

907. *margin 1;*
cover
couverture 2 n. f.;
acompte n. m.

908. *margin 2*
marge n. f.

909. *margin call*
Syn. de *call for margin*

910. *mark up*
majoration n. f.;
surmarquage n. m.

911. *market condition*
situation du marché n. f.
Note. — Éviter le terme *condition du marché.*

912. *market day*
jour de bourse n. m.

913. *market hours 1*
séance de la bourse n. f.

914. *market hours 2;*
stock exchange hours
heures d'ouverture de la bourse n. f. pl.;
heures de bourse n. f. pl.

915. *market letter;*
market report
circulaire 2 n. f.

916. *market maker*
mainteneur de marché n. m.
mainteneuse de marché n. f.
Note. — Le terme *teneur de marché* est recommandé officiellement en France.

917. *market order;*
order at best
ordre au mieux n. m.

918. *market out clause*
clause de sauvegarde n. f.

919. *market price 1*
prix du marché n. m.;
prix courant n. m.

920. *market price 2*
Syn. de *quoted market price*

921. *market report*
Syn. de *market letter*

922. *market trend 1*
tendance du marché n. f.

923. *market trend 2*
climat boursier n. m.

924. *market value 1*
valeur marchande n. f.;
valeur du marché n. f.
Note. — Éviter le terme *valeur au marché.*

925. *market value 2*
Syn. de *quoted market value*

926. *marketability*
facilité de négociation n. f.

927. *marketable*
facilement négociable adj.;
de large négociation loc. adj.

928. *marketable security*
titre facilement négociable n. m.;
valeur mobilière cotée n. f.

929. *matched and lost*
tiré à pile ou face loc. adj.

930. *material change*
changement important n. m.

931. *material fact*
fait important n. m.

932. *mature, to*
venir à échéance 2 v. tr.;
échoir 3 v. tr.

933. *matured coupon*
coupon échu n. m.

934. *maturity*
Syn. de *maturity date*

935. *maturity date;*
date of maturity;
due date;
maturity
date d'échéance n. f.;
échéance n. f.

936. *means 1*
moyens financiers n. m. pl.

937. *means 2*
ressources n. f. pl.

938. *means of payment*
moyens de paiement n. m. pl.

939. *medium term*
à moyen terme loc. prép.

940. *member corporation*
société membre n. f.
Note. — Membre de la bourse.

941. *member firm*
firme membre n. f.
Note. — Membre de la bourse.

942. *member of the stock exchange*
membre de la bourse n.

943. *merge 1, to*
fusionner v. tr., v. i.
Note. — Éviter la forme *se fusionner.*

944. *merge 2, to*
fondre v. tr.
Note. — En parlant de sociétés.

945. *merger*
Syn. de *amalgamation*

946. *merit regulation*
réglementation axée sur la protection de l'épargne n. f.

947. *mines*
Syn. de *mining shares*

948. *minimum margin requirement*
marge minimum obligatoire n. f.

949. *mining shares;*
mines
valeurs minières n. f. pl.;
minières n. f. pl.

950. *minority interest*
participation minoritaire n. f.;
intérêts minoritaires n. m. pl.

951. *minus tick*
Syn. de *down tick*

952. *misrepresentation*
information fausse ou trompeuse n. f.

953. *mixed funds*
fonds mixtes n. m. pl.
Note. — Ces fonds sont constitués de biens mobiliers et immobiliers.

954. *money market*
marché monétaire n. m.
Note. — Marché des capitaux investis à court terme.

955. *monthly savings plan*
plan d'épargne mensuelle n. m.

956. *moose pasture*
concession minière inexploitée n. f.

957. *mortgage*
hypothèque n. f.

958. *mortgage bond*
obligation hypothécaire n. f.

959. *multiple vote share*
action à vote plural n. f.

960. *municipal bond*
obligation municipale n. f.

N

961. *narrow market*
Syn. de *thin market*

962. *natural channels of capital*
circuits naturels des capitaux n. m. pl.

963. *negotiability*
négociabilité n. f.
Note. — Qualité de certains titres dont le transfert de propriété s'opère selon les procédés du droit commercial.

964. *negotiable*
négociable adj.

965. *negotiable instrument*
titre négociable n. m.;
valeur négociable n. f.
Note. — Tout titre pouvant être transmis par voie de tradition, d'endossement ou de transfert sur les registres.

966. *net asset value*
valeur liquidative n. f.

967. *net change*
écart net n. m.
Note. — À propos du cours.

968. *net income;*
net profit
bénéfice net n. m.;
résultat net n. m.;
profit net n. m.

969. *net price*
prix net n. m.

970. *net profit*
Syn. de *net income*

971. *net profit margin*
marge bénéficiaire nette n. f.

972. *net return*
rendement net n. m.

973. *net tangible assets coverage*
couverture par l'actif corporel net n. f.

974. *new issue*
nouvelle émission n. f.

975. *new share*
action nouvelle n. f.

976. *no load fund*
fonds sans frais d'acquisition n. m.

977. *no longer valid*
périmé 3 adj.

978. *no par value*
sans valeur nominale loc. adv.

979. *no personal liability*
sans responsabilité personnelle loc. adv.

980. *no stock available 1*
absence de vendeurs n. f.

981. *no stock available 2*
marché vide n. m.

982. *nominal capital*
capital nominal n. m.

983. *nominal list of shareholders*
liste nominative des actionnaires n. f.

984. *nominal market*
marché indicatif n. m.

985. *nominal owner;*
nominee
propriétaire pour compte n. m.;
prête-nom 2 n. m.

986. *nominal value*
Syn. de *par value*

987. *nominee*
Syn. de *nominal owner*

988. *non-callable bond*
obligation non remboursable n. f.

989. *non-cumulative preference share*
Syn. de *non-cumulative preferred share*

990. *non-cumulative preferred share;*
non-cumulative preference share
action privilégiée à dividende non cumulatif n. f.

991. *non-current*
à long terme loc. adj.

992. *non-fully paid share*
Syn. de *partly paid share*

993. *non-member broker 1*
courtier non-membre n. m.
Note. — Courtier qui n'est pas membre d'une bourse.

994. *non-member broker 2*
courtier libre n. m.

995. *non-negotiability*
non-négociabilité n. f.

996. *non-operating company*
Syn. de *dormant company*

997. *non-operating income*
produit hors d'exploitation n. m.

998. *non-participating share*
action non participante n. f.;
action à dividende fixe n. f.

999. *non-voting stock*
actions sans droit de vote n. f. pl.

1000. *note*
Syn. de *promissory note*

1001. *notice*
avis n. m.
Note. — Éviter le terme *notice.*

1002. *null and void*
nul et non avenu loc. adj.

1003. *numerical list*
liste numérique n. f.

O

1004. *obsolete;*
out-of-date
désuet adj.;
périmé 4 adj.

1005. *odd-lot;*
broken lot;
fractional lot;
uneven lot
rompu n. m.

1006. *off-the-board*
Syn. de *over-the-counter*

1007. *offer*
offre 2 n. f.

1008. *offer for subscription, to*
offrir en souscription v. tr.

1009. *offeree*
société visée n. f.
Note. — Dans le cadre d'une offre publique.

1010. *offering circular*
Syn. de *prospectus*

1011. *offering memorandum*
notice d'offre n. f.

1012. *offering price*
Syn. de *asked price*

1013. *offeror*
initiateur n. m.;
société initiatrice n. f.

1014. *officer*
membre du conseil de direction n.

1015. *official price list*
Syn. de *securities listing*

1016. *oil shares;*
oils
valeurs pétrolières n. f. pl.;
pétrolières n. f. pl.

1017. *oils*
Syn. de *oil shares*

1018. *old share*
action ancienne n. f.

1019. *on a best effort basis*
pour compte loc. prép.
Note. — À propos d'un placement.

1020. *on account of*
Syn. de *for account of*

1021. *on behalf of*
Syn. de *for account of*

1022. *on demand*
sur demande loc. prép.;
sur présentation loc. prép.

1023. *on sight*
à vue loc. adj.

1024. *on the increase*
en augmentation loc. adj.;
en progression loc. adj.;
en hausse loc. adj.

1025. *on the up grade, to be*
Syn. de *to harden 2*

1026. *one-day option*
option d'un jour n. f.

1027. *open account plan*
plan de compte courant n. m.

1028. *open-end fund*
Syn. de *incorporated mutual fund*

1029. *open-end investment company*
Syn. de *incorporated mutual fund*

1030. *open market*
marché ouvert n. m.

1031. *open order*
ordre à révocation n. m.

1032. *opening*
ouverture de séance n. f.;
début de séance n. f.

1033. *opening price*
premier cours n. m.;
cours d'ouverture n. m.

1034. *operating income;*
operating profit
bénéfice d'exploitation n. m.;
profit d'exploitation n. m.

1035. *operating profit*
Syn. de *operating income*

1036. *option*
option n. f.

1037. *option dealer;*
option specialist
courtier en options n. m.

1038. *option price*
Syn. de *exercise price 2*

1039. *option specialist*
Syn. de *option dealer*

1040. *order 1*
ordonnance n. f.

1041. *order 2;*
stock exchange order
ordre de bourse n. m.;
ordre n. m.

1042. *order, to*
donner un ordre v. tr.;
passer un ordre v. tr.
Note. — Un ordre de vente ou d'achat.

1043. *order at best*
Syn. de *market order*

1044. *order at the opening*
Syn. de *at the opening order*

1045. *order valid today*
Syn. de *day order*

1046. *orderly market*
marché régulier n. m.

1047. *ordinary share*
Syn. de *common share*

1048. *organized market*
marché organisé n. m.

1049. *OTC*
Abrév. de *over-the-counter*

1050. *out-of-date*
Syn. de *obsolete*

1051. *out of line price*
cours aberrant n. m.

1052. *outflow*
sortie n. f.;
évasion n. f.
Note. — En parlant de capitaux.

1053. *outlook*
perspectives n. f. pl.

1054. *outstanding security*
titre en circulation n. m.

1055. *over-the-counter;*
off-the-board
Abrév. *OTC*
hors cote loc. adj.;
hors bourse loc. adj.

1056. *over-the-counter market;*
unlisted market
marché hors cote 1 n. m.

1057. *overbought*
suracheté adj.

1058. *overcapitalization.*
surcapitalisation n. f.
Note. — Lorsque la capitalisation boursière d'une action est jugée excessive, on dit que la valeur est surcapitalisée.

1059. *overinvestment*
placement excessif n. m.

1060. *overissue of securities*
émission excessive de titres n. f.;
surémission n. f.

1061. *oversold*
survendu adj.

1062. *overstate, to;*
overvalue, to
surévaluer v. tr.;
surestimer v. tr.

1063. *oversubscription*
dépassement de souscription n. m.;
souscription surpassée n. f.

1064. *overvalue, to*
Syn. de *to overstate*

1065. *owner of record*
Syn. de *holder of record*

1066. *ownership*
propriété n. f.

1067. *ownership interest*
Syn. de *interest 3*

1068. *ownership of the controlling interest*
propriété majoritaire n. f.
Note. — S'applique à une entreprise.

P

1069. *paid-in surplus*
Syn. de *contributed surplus*

1070. *paid-in surplus capital*
surplus d'apport-capital n. m.

1071. *paid-in surplus revenue*
surplus d'apport-revenu n. m.

1072. *paid-up share*
action libérée n. f.

1073. *paper industry shares;*
papers
papiers fins n. m. pl.
Note. — Pris au sens d'actions.

1074. *paper profit*
profit non matérialisé n. m.;
plus-value non matérialisée n. f.

1075. *papers*
Syn. de *paper industry shares*

1076. *par*
pair n. m.

1077. *par value;*
face value;
face amount;
nominal value
valeur nominale n. f.;
montant nominal n. m.;
nominal n. m.

1078. *parallel market*
marché parallèle n. m.

1079. *parent company*
société mère n. f.

1080. *pari passu*
de rang égal loc. adj.;
de même rang loc. adj.

1081. *participating bond*
obligation participante n. f.

1082. *participating feature*
privilège de participation n. m.
Note. — Participation aux bénéfices.

1083. *participating preferred share*
action privilégiée participante n. f.

1084. *participating share*
action participante n. f.;
action avec privilège de participation n. f.

1085. *partly paid share;*
non-fully paid share
action partiellement libérée n. f.;
action non entièrement libérée n. f.

1086. *partnership 1*
société de personnes n. f.

1087. *partnership 2*
société en nom collectif n. f.

1088. *pass a dividend, to*
ne pas déclarer un dividende v. tr.

1089. *passed dividend*
dividende non déclaré (CA) n. m.;
dividende omis n. m.

1090. *pay an annuity, to*
servir une rente v. tr.

1091. *pay for a stock subscription, to*
libérer des actions souscrites v. tr.

1092. *pay up, to*
libérer v. tr.

1093. *payable on application*
payable à la souscription loc. adj.

1094. *paying up*
libération n. f.
Note. — À propos d'actions.

1095. *payment in advance*
Syn. de *advance payment*

1096. *payment in full*
paiement intégral n. m.

1097. *payment received;*
received
pour acquit loc. prép.

1098. *payout ratio*
Syn. de *dividend payout*

1099. *peak*
point culminant n. m.;
sommet n. m.

1100. *peg a price, to*
fixer un cours 2 v. tr.;
établir un cours v. tr.

1101. *penny stock*
actions cotées en cents n. f. pl.

1102. *performance 1*
comportement du marché n. m.

1103. *performance 2*
rendement 1 n. m.;
résultat n. m.
Note. — Éviter le terme *performance.*

1104. *performance fund;*
go-go fund
fonds hautement spéculatif n. m.

1105. *period to maturity*
temps à courir jusqu'à l'échéance n. m.

1106. *periodic disclosure*
information périodique n. f.

1107. *permanent information record*
dossier d'information n. m.

1108. *pick up, to*
se ressaisir v. pron.;
se ranimer v. pron.

1109. *place of business*
établissement 2 n. m.

1110. *play the market, to*
Syn. de *to gamble on the stock exchange*

1111. *play the stock market, to*
Syn. de *to gamble on the stock exchange*

1112. *plunge, to*
risquer de grosses sommes v. tr.

1113. *plus tick;*
up tick
négociation à un cours supérieur n. f.
Note. — Le cours étant supérieur à celui de la négociation précédente.

1114. *point*
point n. m.

1115. *policy statement*
instructions générales n. f. pl.

1116. *pooling*
mise en commun n. f.
Note. — En parlant de titres.

1117. *pooling agreement*
convention de mise en commun n. f.

1118. *portfolio*
portefeuille n. m.

1119. *portfolio investment*
placement de portefeuille n. m.;
valeur de portefeuille n. f.

1120. *portfolio management*
gestion de portefeuille n. f.

1121. *portfolio transaction*
mouvement du portefeuille n. m.

1122. *position*
position n. f.

1123. *position limit*
limite de position n. f.

1124. *pre-emptive right*
V.o. de *preemptive right*

1125. *preemptive right*
V. o. *pre-emptive right*
droit préférentiel de souscription n. m.

1126. *preference dividend*
Syn. de *preferred dividend*

1127. *preference share*
Syn. de *preferred share*

1128. *preferred dividend;*
preference dividend
dividende privilégié n. m.

1129. *preferred share;*
preference share;
senior share
action privilégiée n. f.;
action de priorité n. f.

1130. *preferred stock*
actions privilégiées n. f. pl.;
capital-actions privilégié n. m.

1131. *preliminary prospectus;*
red-herring prospectus
prospectus provisoire n. m.

1132. *premium 1*
prime 2 n. f.
Note. — Excédent du prix d'émission d'un titre sur sa valeur nominale.

1133. *premium 2*
report n. m.;
différence de change n. f.

1134. *premium 3*
marge de variation n. f.
Note. — Dans le cas d'une offre publique d'achat.

1135. *premium on an issue*
prime d'émission n. f.

1136. *premium on shares*
Syn. de *share premium*

1137. *prepaid expenses*
frais payés d'avance n. m. pl.;
charges payées d'avance n. f. pl.

1138. *prepaid interest*
intérêt payé d'avance n. m.

1139. *present value*
valeur actuelle n. f.;
valeur actualisée n. f.

1140. *price 1*
prix n. m.

1141. *price 2*
cours n. m.

1142. *price change*
modification du cours n. f.

1143. *price decline*
Syn. de *decline in prices*

1144. *price difference*
écart de cours n. m.

1145. *price-earnings ratio*
ratio cours-bénéfice n. m.
Note. — Quotient du cours d'une action par le bénéfice net par action.

1146. *price floor 1*
prix plancher n. m.

1147. *price floor 2*
cours minimal n. m.;
cours plancher n. m.

1148. *price movements*
Syn. de *fluctuations*

1149. *price range*
variation du cours n. f.
Note. — Cette variation se produit durant une période donnée.

1150. *primary distribution*
placement d'une émission nouvelle n. m.

1151. *primary market*
marché primaire n. m.

1152. *principal 1*
contrepartiste n.

1153. *principal 2*
mandant n. m.
mandante n. f.

1154. *principal 3*
capital 2 n. m.;
principal n. m.

1155. *priority right*
droit de priorité n. m.

1156. *private company;*
closely held corporation (US);
close corporation (US)
société fermée n. f.

1157. *privileged information*
Syn. de *inside information*

1158. *pro forma prospectus*
projet de prospectus n. m.

1159. *pro rata*
au prorata loc. prép.

1160. *professional*
professionnel de la bourse n. m.
professionnelle de la bourse n. f.

1161. *profit*
Syn. de *gain*

1162. *promissory note;*
note
billet n. m.
Note. — Écrit par lequel une personne, le souscripteur, s'engage à payer, à une époque déterminée, une certaine somme, à l'ordre d'un bénéficiaire (billet à ordre) ou au porteur (billet au porteur).

1163. *promoter's shares*
Syn. de *founder's shares*

1164. *proposed dividend*
dividende proposé n. m.

1165. *prospectus;*
offering circular
prospectus d'émission n. m.;
note d'information 1 n. f.
Note. — Document publié préalablement à toute émission de titres par appel public à l'épargne.

1166. *provisional certificate;*
interim certificate
titre provisoire n. m.;
certificat provisoire n. m.

1167. *provisional receipt*
visa provisoire n. m.

1168. *proxy 1*
Syn. de *agent*

1169. *proxy 2*
procuration 1 n. f.

1170. *proxy fight*
course aux procurations n. f.
Note. — Cette course se fait dans le but d'obtenir ou de garder la haute main sur une société.

1171. *proxy form;*
form of proxy
formulaire de procuration n. m.;
formule de procuration n. f.

1172. *proxy instrument*
Syn. de *instrument of proxy*

1173. *proxy solicitation*
Syn. de *soliciting of proxies*

1174. *prudent man rule*
règle de la personne prudente n. f.

1175. *public company*
société ouverte n. f.

1176. *public distribution*
Syn. de *public issue*

1177. *public issue;*
public offering;
public distribution
appel public à l'épargne n. m.

1178. *public offering*
Syn. de *public issue*

1179. *public sale of securities*
vente publique de titres n. f.;
vente publique de valeurs n. f.

1180. *public utilities*
services publics n. m. pl.
Note. — Pris au sens d'actions.

1181. *pulp and paper industry shares*
papeteries n. f. pl.
Note. — Pris au sens d'actions.

1182. *purchase contract*
bordereau d'achat n. m.

1183. *purchase group* (US);
banking group 2 (CA)
syndicat de prise ferme n. m.

1184. *purchase or sale*
Syn. de *trade*

1185. *purchase or sale on an exchange*
Syn. de *stock transaction*

1186. *push-out*
division d'actions sans échange de certificats n. f.

1187. *put (option)*
option de vente n. f.

1188. *put and call option;*
call and put option
option double n. f.
Note. — Vente et achat.

1189. *put on*
réinscription n. f.
Note. — Il s'agit de la réinscription à la chambre de compensation.

1190. *put through*
Syn. de *cross on the board*

1191. *puts and calls*
options n. f. pl.

Q

1192. *qualification share*
Syn. de *qualifying share*

1193. *qualifying share; qualification share*
action statutaire n. f.;
action d'éligibilité n. f.

1194. *quaterly dividend*
dividende trimestriel n. m.

1195. *quick assets; floating assets*
actif disponible n. m.;
disponibilités n. f. pl.

1196. *quorum*
quorum n. m.

1197. *quotation 1*
cotation n. f.

1198. *quotation 2*
proposition n. f.
Note. — À propos d'un prix.

1199. *quotation of the day*
Syn. de *current market price*

1200. *quote, to*
coter un cours v. tr.

1201. *quote at par, to*
coter au pair v. tr.

1202. *quote firm, to*
coter ferme v. tr.

1203. *quote in local currency, to*
coter en monnaie nationale v. tr.

1204. *quote subject, to*
coter sous réserves v. tr.

1205. *quoted market price; market price 2*
cours du marché n. m.;
cours coté n. m.;
cours de bourse n. m.

1206. *quoted market value; market value 2*
valeur à la cote n. f.

1207. *quoted price*
cours des titres n. m.

1208. *quoted share*
action cotée n. f.;
action inscrite à la cote officielle n. f.;
action inscrite en bourse n. f.

R

1209. *railway shares*
valeurs ferroviaires n. f. pl.;
ferroviaires n. f. pl.

1210. *raise a dividend, to*
augmenter un dividende v. tr.

1211. *rally*
reprise n. f.

1212. *rash speculations*
spéculations téméraires n. f. pl.

1213. *rate*
taux n. m.;
tarif n. m.

1214. *rate of exchange; exchange rate*
cours du change n. m.;
taux de change n. m.

1215. *rate of interest interest rate*
taux d'intérêt n. m.

1216. *ratio*
rapport 1 n. m.;
coefficient n. m.;
ratio n. m.;
indice 2 n. m.

1217. *reaction*
réaction n. f.

1218. *recapitalization*
refonte de capital n. f.;
remaniement de capital n. m.

1219. *receipt 1*
quittance n. f.

1220. *receipt 2*
reçu n. m.;
récépissé n. m.

1221. *receipt 3*
visa n. m.

1222. *receivables*
Syn. de *accounts receivable*

1223. *received*
Syn. de *payment received*

1224. *recession*
récession n. f.

1225. *record a high, to*
atteindre le cours le plus haut v. tr.

1226. *record a low, to*
toucher le cours le plus bas v. tr.

1227. *record date;*
date of record
date de clôture des registres n. f.

1228. *recover sharply, to*
se ressaisir rapidement v. pron.

1229. *recovery of prices 1*
redressement des prix n. m.;
raffermissement des prix n. m.

1230. *recovery of prices 2*
redressement des cours n. m.;
raffermissement des cours n. m.

1231. *recovery of the market*
redressement du marché n. m.;
raffermissement du marché n. m.

1232. *red-herring prospectus*
Syn. de *preliminary prospectus*

1233. *redeem, to*
racheter v. tr.;
rembourser v. tr.
Note. — Il s'agit du rachat des actions et du remboursement des obligations.

1234. *redeemable*
rachetable adj.;
remboursable adj.

1235. *redeemable before maturity*
Syn. de *redeemable in advance*

1236. *redeemable bond*
Syn. de *callable bond*

1237. *redeemable by drawing*
rachetable par tirage loc. adj.

1238. *redeemable in advance;*
redeemable before maturity
rachetable par anticipation loc. adj.

1239. *redeemable preferred stock*
Syn. de *callable preferred stock*

1240. *redeemable security*
titre rachetable n. m.

1241. *redemption*
rachat 1 n. m.;
remboursement 1 n. m.
Note. — Retrait, par la société émettrice, de titres en circulation (actions, obligations).

1242. *redemption fee*
frais de rachat n. m. pl.

1243. *redemption price*
Syn. de *call price*

1244. *redemption value*
valeur de rachat n. f.;
valeur de remboursement n.f.

1245. *reduce the par value, to*
réduire la valeur nominale v. tr.

1246. *reduce the share capital, to*
réduire le capital-actions v. tr.;
réduire le capital social v. tr.

1247. *reduction in value*
Syn. de *loss in value*

1248. *refinancing*
refinancement n. m.

1249. *refunding bond*
obligation de conversion n. f.

1250. *refunding of bonds; bond refunding*
refinancement d'obligations n. m.

1251. *register of transfers*
registre des transferts n. m.

1252. *register shares in the name of somebody, to*
immatriculer des actions au nom de quelqu'un v. tr.

1253. *registered bond*
obligation nominative n. f.;
obligation immatriculée n. f.

1254. *registered security*
titre nominatif n. m.;
valeur nominative n. f.

1255. *registered shareholder; shareholder of record; stockholder of record*
actionnaire inscrit n. m.
actionnaire inscrite n. f.
Note. — Éviter l'expression *actionnaire enregistré.*

1256. *registrar*
agent chargé de la tenue des registres n. m.

1257. *registration 1*
inscription n. f.

1258. *registration 2*
immatriculation n. f.

1259. *registration fee*
frais d'inscription n. m. pl.

1260. *registraton for restricted practice*
inscription d'exercice restreint n. f.

1261. *registration for unrestricted practice*
inscription de plein exercice n. f.

1262. *regular delivery*
livraison régulière n. f.

1263. *reinvested earnings*
Syn. de *retained earnings*

1264. *reinvestment*
réinvestissement n. m.;
nouveau placement n. m.

1265. *reissue, to*
émettre de nouveau v. tr.;
réémettre v. tr.

1266. *remuneration*
rémunération n. f.

1267. *renew, to*
renouveler v. tr.

1268. *renewal*
renouvellement n. m.

1269. *renewal of the coupon sheets*
recouponnement n. m.

1270. *reorganization*
restructuration du capital n. f.

1271. *reporting issuer*
émetteur assujetti n. m.

1272. *representative*
Syn. de *salesperson*

1273. *resale*
revente n. f.

1274. *rescission*
résolution n. f.

1275. *reserve fund;*
fund
fonds de prévoyance n. m.;
fonds de réserve n. m.

1276. *reserve requirements*
réserves-encaisse n. f. pl.

1277. *restricted practice broker*
courtier d'exercice restreint n. m.

1278. *resumed dividends*
reprise du paiement des dividendes n. f.

1279. *retained earnings;*
reinvested earnings;
undistributed profits
bénéfices non répartis n. m. pl.;
bénéfices non distribués n. m. pl.

1280. *retirement*
remboursement 2 n. m.;
rachat 2 n. m.
Note. — Action de rembourser des obligations, de racheter des actions.

1281. *retirement savings plan*
régime d'épargne-retraite n. m.

1282. *retractable bond*
obligation encaissable par anticipation n. f.

1283. *retractable share*
action rachetable au gré du détenteur n. f.

1284. *return;*
yield
rendement 2 n. m.;
rapport 2 n. m.
Note. — Ce que rapporte un capital, un investissement.

1285. *return on capital*
rendement du capital n. m.;
rapport du capital n. m.

1286. *revaluation*
réévaluation n. f.;
réestimation n. f.

1287. *reverse (stock) split*
Syn. de *consolidation of shares*

1288. *rider*
resquilleur n. m.
resquilleuse n. f.

1289. *rig the market, to*
provoquer une hausse factice v. tr.

1290. *right;*
share right;
stock right;
subscription right
droit de souscription n. m.

1291. *right of cancellation;*
right of rescission
droit de résolution n. m.

1292. *right of rescission*
Syn. de *right of cancellation*

1293. *right of withdrawal*
droit de désengagement n. m.

1294. *right to convert*
Syn. de *conversion right*

1295. *right to exchange*
droit d'échange n. m.

1296. *right to transact on the stock exchange*
droit de négocier en bourse n. m.

1297. *rights dealing;*
rights trading
négociation de droits de souscription n. f.;
négociation de droits n. f.

1298. *rights market*
marché des droits de souscription n. m.;
marché des droits n. m.

1299. *rights trading*
Syn. de *rights dealing*

1300. *rise*
hausse n. f.;
augmentation n. f.

1301. *rise, to*
monter v. i.;
s'élever v. pron.

1302. *rise a point, to*
monter d'un point v. i.;
hausser d'un point v. i.

1303. *rise in price*
renchérissement n. m.

1304. *rising tendency*
Syn. de *upward trend*

1305. *rising trend*
Syn. de *upward trend*

1306. *risk capital*
Syn. de *venture capital*

1307. *round lot;*
board lot;
full lot
quotité n. f.

1308. *run counter to the general trend, to*
aller à l'encontre de la tendance générale loc. v.

S

1309. *safe investment*
placement sûr n. m.;
placement de tout repos n. m.;
placement de père de famille n. m.

1310. *safety box*
compartiment de coffre-fort n. m.
Note. — Éviter le terme *coffret de sûreté.*

1311. *sag;*
sagging;
set back
fléchissement 1 n. m.;
tassement n. m.;
recul n. m.
Note. — En parlant des cours, des prix.

1312. *sag, to*
fléchir v. tr.
Note. — En parlant des cours, des prix.

1313. *sagging*
Syn. de *sag*

1314. *sale and leaseback;*
leaseback
cession-bail n. f.

1315. *sale contract*
bordereau de vente n. m.

1316. *sale from the portfolio*
Syn. de *sale of investments*

1317. *sale of investments;*
sale from the portfolio
vente de valeurs de portefeuille n. f.
Note. — Éviter l'expression *vente de placements.*

1318. *sales*
chiffre d'affaires n. m.;
chiffre des ventes n. m.

1319. *salesperson;*
representative
représentant n. m.
représentante n. f.

1320. *savings invested in securities*
épargne investie en valeurs n. f.

1321. *scarcity of capital*
pénurie de capitaux n. f.

1322. *scare on the stock exchange*
panique à la bourse n. f.

1323. *seat*
siège n. m.
Note. — Il s'agit d'un siège en bourse.

1324. *SEC*
Abrév. de *Securities and Exchange Commission*

1325. *second mortgage bond*
obligation de deuxième hypothèque n. f.

1326. *secondary distribution*
reclassement n. m.

1327. *secondary market*
marché secondaire n. m.

1328. *secured loan 1*
emprunt garanti n. m.

1329. *secured loan 2*
prêt garanti n. m.
Note. — Prêt garanti par nantissement de titres.

1330. *secured bond*
Syn. de *bond 2*

1331. *secured debenture*
Syn. de *bond 2*

1332. *Securities and Exchange Commission*
Abrév. *SEC*
Commission des valeurs mobilières des États-Unis n. f.
Note. — En français, on utilise également le sigle S.E.C. pour désigner cette commission.

1333. *securities approved*
valeurs agréées n. f. pl.

1334. *securities broker*
Syn. de *stockbroker*

1335. *securities dealings*
opérations sur valeurs mobilières n. f. pl.;
opérations sur titres n. f. pl.

1336. *securities deposit*
dépôt de titres n. m.

1337. *securities listing; stock exchange official list; board list; official price list*
cote officielle n. f.;
cote n. f.

1338. *securities long*
valeurs en compte n. f. pl.

1339. *securities market*
marché des valeurs mobilières n. m.;
marché financier 2 n. m.

1340. *securities short*
valeurs à découvert n. f. pl.

1341. *securities survey*
bulletin d'information sur les valeurs n. m.

1342. *security*
titre de placement n. m.;
titre 2 n. m.;
valeur mobilière n. f.;
valeur 1 n. f.

1343. *security account*
compte titres n. m.

1344. *security exchange*
Syn. de *stock exchange*

1345. *security holder*
porteur de valeurs n. m.
porteuse de valeurs n. f.

1346. *security holdings*
titres détenus n. m. pl.;
valeurs détenues n. f. pl.

1347. *self-regulatory organization*
organisme d'autoréglementation n. m.

1348. *sell short, to; to go short*
vendre à découvert 2 v. tr.

1349. *seller*
vendeur n. m.
vendeuse n. f.

1350. *seller's option*
livraison au gré du vendeur n. f.
Note. — La livraison se faisant dans un délai convenu.

1351. *sellers ahead* (US)
nombreux vendeurs en perspective n. m. pl.

1352. *sellers' market*
marché vendeur n. m.;
marché à la hausse 2 n. m.

1353. *selling against the box*
vente contre son avoir n. f.

1354. *selling group*
syndicat de placement n. m.

1355. *selling order*
ordre de vente n. m.

1356. *selling out*
vente forcée n. f.

1357. *selling price*
prix de vente n. m.

1358. *senior financing*
financement par titres de premier rang n. m.

1359. *senior security*
titre prioritaire n. m.;
titre de premier rang n. m.

1360. *senior share*
Syn. de *preferred share*

1361. *sensitive market*
marché sensible n. m.

1362. *serial bonds*
obligations échéant en série n. f. pl.

1363. *session*
séance n. f.
Note. — *Séance* de la bourse et non *session* de la bourse.

1364. *set back*
Syn. de *sag*

1365. *share 1*
action 1 n. f.
Note. — Dans une société de capitaux. Par ailleurs, lorsqu'on parle des compartiments de la cote, on rend généralement *shares* par *valeurs*.

1366. *share 2*
part sociale n. f.
Note. — Dans une société de personnes.

1367. *share capital*
Syn. de *capital stock*

1368. *share certificate*
Syn. de *stock certificate*

1369. *share deposited as security*
action déposée en garantie n. f.

1370. *share distribution*
placement d'actions n. m.

1371. *share in the profit, to*
participer aux bénéfices v. tr.

1372. *share index*
indice des cours des actions n. m.

1373. *share issued for cash*
action de numéraire n. f.

1374. *share issued for property*
action d'apport n. f.

1375. *share ledger;*
share register;
shareholders' ledger;
stockholders' ledger
registre des actionnaires n. m.

1376. *share market*
marché des actions n. m.

1377. *share option 1*
Syn. de *stock option 1*

1378. *share option 2*
Syn. de *stock option 2*

1379. *share premium;*
premium on shares
prime d'émission d'actions n. f.;
prime à l'émission d'actions n. f.;
prime d'apport n. f.

1380. *share pusher*
colporteur de valeurs douteuses n. m.
colporteuse de valeurs douteuses n. f.

1381. *share qualification*
droit d'éligibilité conféré par des actions n. m.

1382. *share quoted ex dividend*
action cotée ex-dividende n. f.;
action cotée dividende détaché (FR) n. f.

1383. *share register*
Syn. de *share ledger*

1384. *share right*
Syn. de *right*

1385. *share split*
Syn. de *stock split*

1386. *share under escrow*
Syn. de *escrowed share*

1387. *share warrant*
Syn. de *stock certificate*

1388. *shareholder;*
stokholder (US)
actionnaire n.

1389. *shareholder of record*
Syn. de *registered shareholder*

1390. *shareholders' dividend*
dividende d'actions n. m.
Note. — Éviter le terme *dividende des actionnaires.*

1391. *shareholders' equity*
Syn. de *equity capital*

1392. *shareholders' ledger*
Syn. de *share ledger*

1393. *shareholding*
possession d'actions n. f.

1394. *shift of prices*
variation des cours n. f.

1395. *short, to be*
être à découvert v. tr.

1396. *short account*
Syn. de *bear account*

1397. *short covering 1;*
bear covering 1
rachat 3 n. m.
Note. — Opération servant à couvrir un découvert en bourse.

1398. *short covering 2;*
bear covering 2
couverture de position à découvert n. f.

1399. *short form prospectus;*
simplified prospectus
prospectus simplifié n. m.

1400. *short position*
position à découvert n. f.;
position vendeur n. f.

1401. *short sale*
vente à découvert n. f.

1402. *short seller*
vendeur à découvert n. m.
vendeuse à découvert n. f.

1403. *short term*
à court terme loc. prép.

1404. *short-term note*
billet à court terme n. m.

1405. *show an appreciation, to*
accuser une plus-value v. tr.
Note. — Éviter l'expression *montrer une appréciation.*

1406. *shrinkage*
fléchissement 2 n. m.
Note. — En parlant d'un titre.

1407. *simplified prospectus*
Syn. de *short form prospectus*

1408. *sinking fund;*
bond sinking fund
fonds d'amortissement n. m.;
caisse d'amortissement n. f.

1409. *sinking fund bond*
obligation à fonds d'amortissement n. f.

1410. *sinking fund instalment*
versement au fonds d'amortissement n. m.

1411. *slight increase*
légère hausse n. f.

1412. *sluggish demand*
faible demande n. f.

1413. *sluggishness*
inertie n. f.;
morosité n. f.;
caractère terne n. m.
Note. — En parlant du marché.

1414. *slump 1*
Syn. de *(acute) depression*

1415. *slump 2*
effondrement n. m.

1416. *soar, to*
monter en flèche 2 v. tr.
Note. — En parlant des cours.

1417. *solicited subscriber*
souscripteur sollicité n. m.
souscriptrice sollicitée n. f.

1418. *soliciting of proxies;*
proxy solicitation
sollicitation de procurations n. f.

1419. *soliciting purchasers*
démarchage n. m.

1420. *sophisticated purchaser*
acquéreur averti n. m.

1421. *special dividend*
dividende extraordinaire n. m.

1422. *special general meeting of shareholders*
assemblée générale extraordinaire des actionnaires n. f.

1423. *specialist* (US)
spécialiste n.
Note. — En certaines valeurs.

1424. *speculate for a fall, to;*
to speculate on a fall
spéculer à la baisse v. tr.

1425. *speculate for a rise, to;*
to speculate on a rise;
to buy for a rise;
spéculer à la hausse v. tr.

1426. *speculate on a fall, to*
Syn. de *speculate for a fall, to*

1427. *speculate on a rise, to*
Syn. de *speculate for a rise, to*

1428. *speculative security*
valeur spéculative n. f.

1429. *speculator*
spéculateur n. m.
spéculatrice n. f.

1430. *split*
Syn. de *stock split*

1431. *spread*
écart n. m.
Note. — Écart entre les cours acheteur et vendeur.

1432. *square deal*
opération honnête n. f.

1433. *squeeze credit, to*
resserrer le crédit v. tr.

1434. *squeeze the bears, to*
acculer les baissiers v. tr.

1435. *stampede of bears*
panique des baissiers n. f.

1436. *stand-by underwriting*
placement garanti n. m.

1437. *standard value*
valeur normale n. f.

1438. *standing order*
ordre permanent n. m.

1439. *state of the market*
état du marché n. m.

1440. *stated value*
valeur attribuée n. f.
Note. — Il s'agit de la valeur attribuée à une action.

1441. *statement 1*
Syn. de *statement of account*

1442. *statement 2*
déclaration n. f.

1443. *statement of account; statement 1; extract of account*
relevé de compte n. m.;
extrait de compte n. m.;
état de compte n. m.

1444. *statement of retained earnings*
état des bénéfices non répartis n. m.

1445. *statement of the portfolio*
état du portefeuille n. m.

1446. *steady*
Syn. de *firm 2*

1447. *steel shares*
Syn. de *iron and steel shares*

1448. *steels*
Syn. de *iron and steel shares*

1449. *sterling bond*
obligation payable en sterling n. f.

1450. *stock 1*
actions n. f. pl.
Note. — Éviter le terme *parts.* Souvent en contexte, on pourra parler de *titres* ou de *valeurs.*

1451. *stock 2*
Syn. de *capital stock*

1452. *stock arbitrage*
arbitrage d'actions n. m.

1453. *stock brokerage*
courtage d'actions n. m.

1454. *stock brokerage firm*
maison de courtier en valeurs mobilières n. f.

1455. *stock certificate; share certificate; share warrant*
certificat d'actions n. m.

1456. *stock dividend*
dividende en actions n. m.;
dividende-actions n. m.;
actions gratuites (FR) n. f. pl.

1457. *stock dividend distribution*
distribution de dividendes en actions n. f.

1458. *stock exchange; stock market; security exchange; exchange 2*
bourse des valeurs mobilières n. f.;
bourse des valeurs n. f.;
bourse n. f.

1459. *stock exchange governing committee; board of governors*
conseil d'administration d'une bourse n. m.
Note. — La Bourse de Montréal emploie plutôt l'expression *conseil des gouverneurs.*

1460. *stock exchange hours*
Syn. de *market hours 2*

1461. *stock exchange (official) list*
Syn. de *securities listing*

1462. *stock exchange operatijon*
Syn. de *stock transaction*

1463. *stock exchange order*
Syn. de *order 2*

1464. *stock exchange quotation*
cours en bourse n. m.

1465. *stock exchange regulations*
règlement interne de la bourse n. m.

1466. *stock exchange rules*
règles de fonctionnement n. f. pl.

1467. *stock exchange speculations*
spéculations boursières n. f. pl.

1468. *stock market*
Syn. de *stock exchange*

1469. *stock market business*
négociation de titres n. f.;
négociation de valeurs n. f.

1470. *stock operations*
opérations sur les actions n. f. pl.

1471. *stock option 1;*
share option 1
option d'achat d'actions n. f.
Note. — Lorsqu'il s'agit du marché d'occasion.

1472. *stock option 2;*
share option 2
option de souscription d'actions n. f.
Note. — Lorsqu'il s'agit du marché du neuf.

1473. *stock order*
ordre portant sur des actions n. m.

1474. *stock power*
pouvoir pour le transfert et la vente d'actions n. m.

1475. *stock purchase plan 1*
plan d'achat d'actions n. m.

1476. *stock purchase plan 2*
Syn. de *subscription plan*

1477. *stock purchase warrant*
bon de souscription d'actions n. m.

1478. *stock right*
Syn. de *right*

1479. *stock split;*
share split;
split
division d'actions n. f.

1480. *stock transaction;*
stock exchange operation;
purchase or sale on an exchange
opération de bourse n. f.;
transaction boursière n. f.

1481. *stock transfer agent*
Syn. de *transfer agent*

1482. *stock yield*
rendement des actions n. m.

1483. *stockbroker;*
securities broker
courtier en valeurs mobilières 2 n. m.
Note. — En France, on l'appelle *agent de change*.

1484. *stockholder*
Syn. de *shareholder*

1485. *stockholder of record*
Syn. de *registered shareholder*

1486. *stockholders' ledger*
Syn. de *share ledger*

1487. *stockholding*
possession de titres n. f.

1488. *stop a quotation, to*
arrêter une cotation v. tr.

1489. *stop (loss) order*
ordre stop n. m.

1490. *straddle*
position à double option n. f.

1491. *strap*
options : une vente, deux achats n. f. pl.

1492. *street market price*
cours hors bourse n. m.;
cours hors cote n. m.

1493. *street certificate*
certificat de courtier n. m.

1494. *street security*
titre immatriculé au nom d'un courtier n. m.

1495. *strike out a security from the list, to*
rayer un titre de la cote v. tr.

1496. *strip*
options: deux ventes, un achat n. f. pl.

1497. *strong*
Syn. de *firm 2*

1498. *subject to allocation*
à titre réductible loc. adj.

1499. *subordinate debenture*
obligation non garantie de rang inférieur n. f.

1500. *subscribe for securities, to*
souscrire des titres v. tr.

1501. *subscriber*
souscripteur n. m.
souscriptrice n. f.

1502. *subscription*
souscription n. f.

1503. *subscription form*
Syn. de *application form*

1504. *subscription plan; stock purchase plan 2*
plan de souscription d'actions n. m.

1505. *subscription right*
Syn. de *right*

1506. *subscription terms*
conditions de souscription n. f. pl.

1507. *subsequent purchaser*
sous-acquéreur n. m.
sous-acquéreuse n. f.

1508. *supply and demand*
l'offre et la demande n. f.

1509. *supply collateral, to*
donner des titres en nantissement v. tr.

1510. *sustain a loss, to*
subir une perte v. tr.

1511. *swindler*
Syn. de *bucket shop operator*

1512. *swings*
mouvements des cours n. m. pl.;
oscillations des cours n. f. pl.

1513. *sworn broker*
courtier assermenté n. m.

1514. *sworn declaration*
déclaration sous serment n. f.

1515. *syndicate*
syndicat financier n. m.;
consortium financier n. m.

1516. *systematic withdrawal plan*
plan de retraits systématiques n. m.

T

1517. *tag end*
reliquat n. m.

1518. *take a loss, to*
vendre à perte v. tr.
Note. — Éviter les expressions *réaliser une perte, prendre une perte.*

1519. *take a profit, to*
réaliser un bénéfice v. tr.

1520. *take-over bid;*
V. o. *takeover bid*
offre publique d'achat n. f.
Abrév. **O.P.A.**

1521. *take-over bid by way of an exchange of securities*
offre publique d'échange n. f.
Abrév. **O.P.E.**

1522. *take-over bid circular;*
V. o. *takeover bid circular*
note d'information 2 n. f.
Note. — Document décrivant une offre publique d'achat.

1523. *take up, to*
prendre livraison v. tr.
Note. — Lorsqu'il s'agit de titres.

1524. *takeover bid*
V. o. de *take-over bid*

1525. *takeover bid circular*
V. o. de *take-over bid circular*

1526. *taker*
preneur n. m.
preneuse n. f.;
acheteur n. m.
acheteuse n. f.

1527. *taking up an option;*
exercise of an option
levée d'une option n. f.

1528. *talon*
talon n. m.

1529. *tax exempt bond* (US);
tax-free bond
obligation à intérêt non imposable n. f.

1530. *tax-free bond*
Syn. de *tax exempt bond*

1531. *tax-shelter security*
valeur refuge n. f.

1532. *technical analysis*
analyse technique n. f.

1533. *technical position*
situation technique n. f.

1534. *tendency*
Syn. de *trend*

1535. *textile shares;*
textiles
valeurs textiles n. f. pl.;
textiles n. f. pl.

1536. *textiles*
Syn. de *textile shares*

1537. *thin market;*
narrow market
marché étroit n. m.
Note. — En particulier pour une valeur.

1538. *tied order*
ordre lié n. m.
Note. — Il s'agit, le plus souvent, d'un ordre d'achat et d'un ordre de vente qui doivent être exécutés en même temps.

1539. *timely disclosure*
information occasionnelle n. f.

1540. *times interest earned*
coefficient de couverture de l'intérêt n. m.

1541. *tip 1*
renseignement n. m.
Note. — Renseignement qu'on suppose confidentiel et qui porte sur le marché, sur un titre.

1542. *tip 2*
tuyau n. m.
Note. — Terme familier.

1543. *tombstone*
annonce de placement n. f.

1544. *tone of the market*
tenue du marché n. f.;
allure du marché n. f.

1545. *trade;*
trading;
transaction;
purchase or sale;
deal
opération n. f.;
négociation n. f.;
transaction n. f.

1546. *trade shares, to*
négocier des actions v. tr.

1547. *trader 1*
délégué en bourse n. m.
déléguée en bourse n. f.

1548. *trader 2*
négociateur n. m.
négociatrice, n. f.

1549. *trader 3*
spéculateur habituel n. m.
spéculatrice habituelle n. f.

1550. *trader 4*
Syn. de *arbitragist*

1551. *trading*
Syn. de *trade*

1552. *trading floor*
Syn. de *floor*

1553. *trading in securities*
opération sur valeurs n. f.

1554. *trading session*
séance de bourse n. f.

1555. *trading square*
section du parquet n. f.
Note. — Le parquet d'une bourse.

1556. *transaction*
Syn. de *trade*

1557. *transfer 1*
Syn. de *assignment*

1558. *transfer 2*
transfert n. m.
Note. — Lorsqu'il s'agit d'une cession par la voie d'une inscription sur les registres.

1559. *transfer agent;*
stock transfer agent
agent des transferts n. m.

1560. *transfer deed*
acte de transfert n. m.

1561. *transfer fee*
frais de transfert n. m. pl.

1562. *transfer home the profits, to*
rapatrier les profits v. tr.

1563. *transfer of funds*
virement de fonds n. m.

1564. *transfer shares, to*
transférer des actions v. tr.

1565. *transfer to reserve fund, to*
virer à la réserve v. tr.

1566. *treasury bill*
bon du Trésor n. m.

1567. *treasury stock*
actions de trésorerie n. f. pl.

1568. *trend;*
tendency
tendance n. f.

1569. *trust company;*
corporate trustee
société de fiducie n. f.
Note. — Éviter le terme *trust.*

1570. *trust deed*
Syn. de *trust indenture*

1571. *trust indenture;*
trust deed;
deed of trust
acte de fiducie 2 n. m.;
acte fiduciaire 2 n. m.
Note. — Acte relatif à un emprunt qui décrit les droits et les devoirs de l'emprunteur.

1572. *trustee*
fiduciaire n.

1573. *trustee investment*
placement de fiduciaire n. m.

1574. *turn of the market*
revirement du marché n. m.

1575. *turnover;*
volume
volume total des transactions n. m.

1576. *two-pay bond*
obligation payable en deux monnaies n. f.

U

1577. *unalotted share*
action non attribuée n. f.

1578. *uncertain*
irrégulier adj.;
incertain adj.

1579. *unclaimed dividend*
dividende non réclamé n. m.

1580. *uncovered bear*
baissier à découvert n. m.
baissière à découvert n. f.

1581. *under par*
Syn. de *at a discount 1*

1582. *undermargined account*
compte à court de marge n. m.

1583. *underpriced*
au-dessous de la valeur loc. prép.

1584. *undersell, to*
vendre au-dessous du cours v. tr.

1585. *undervalue, to*
sous-estimer v. tr.;
sous-évaluer v. tr.

1586. *underwriting discount*
réduction de prise ferme n. f.

1587. *undistributed profits*
Syn. de *retained earnings*

1588. *uneven lot*
Syn. de *odd-lot*

1589. *unfilled orders*
Syn. de *backlog of orders 1*

1590. *unincorporated mutual fund*
fonds commun de placement n. m.
Abrév. **F.C.P.**

1591. *unissued capital*
capital non émis n. m.

1592. *unissued share*
action non émise n. f.

1593. *unit 1*
part 2 n. f.
Note. — On parlera de part pour un fonds commun de placement.

1594. *unit 2*
action 2 n. f.
Note. — On parlera d'action dans le cas d'une société d'investissement à capital variable.

1595. *unit 3*
unité n. f.
Note. — Ensemble de titres différents d'une même société offerts en vente sur un marché primaire ou un marché secondaire.

1596. *unlisted market*
Syn. de *over-the-counter market*

1597. *unlisted securities*
titres non cotés n. m. pl.;
titres non inscrits à la cote officielle n. m. pl.

1598. *unmatured coupon*
coupon non échu n. m.

1599. *unofficial market*
marché hors bourse n. m.;
marché hors cote 2 n. m.;
marché libre 2 n. m.
Note. — Marché portant sur des valeurs mobilières non cotées et non introduites en bourse.

1600. *unprofitable*
non rentable loc. adj.

1601. *unquoted*
non coté adj.;
non introduit en bourse loc. adj.

1602. *unredeemable*
V. o. de *irredeemable*

1603. *unsecured bond*
Syn. de *debenture 2*

1604. *unsecured debenture*
Syn. de *debenture 2*

1605. *until cancelled*
Syn. de *good until cancelled*

1606. *up tick*
Syn. de *plus tick*

1607. *upsurge*
hausse très marquée n. f.

1608. *upswing*
Syn. de *upward trend*

1609. *uptrend*
Syn. de *upward trend*

1610. *upward trend;*
uptrend;
upswing;
rising trend;
rising tendency;
bullishness;
bullish tone;
better tendency
tendance à la hausse n. f.

V

1611. *valid until cancelled*
Syn. de *good until cancelled*

1612. *valuation day*
Abrév. *V day;*
evaluation day
jour de l'évaluation n. m.

1613. *valuation of securities*
évaluation des titres n. f.

1614. *valuation price 1*
cours estimatif n. m.
Note. — Lorsqu'il s'agit d'un marché organisé.

1615. *valuation price 2*
prix estimatif n. m.

1616. *value at cost*
valeur au prix d'achat n. f.;
valeur au prix coûtant n. f.

1617. *value date*
date de valeur n. f.;
date d'entrée en vigueur n. f.;
jour de valeur n. m.

1618. *variable yield investment*
placement à revenu variable n. m.

1619. *V day*
Abrév. de *valuation day*

1620. *venture*
entreprise risquée n. f.;
opération spéculative n. f.

1621. *venture capital;*
risk capital
capital de risque n. m.;
capital-risque n. m.

1622. *void*
nul adj.;
sans valeur loc. adj.

1623. *volume*
Syn. de *turnover*

1624. *volume traded*
volume des transactions n. m.;
volume des échanges n. m.;
volume des opérations n. m.

1625. *volume trading*
opération sur des blocs d'actions n. f.

1626. *voting right*
droit de vote n. m.

1627. *voting security*
titre comportant droit de vote n. m.

1628. *voting trust*
convention de fiducie n. f.;
convention de vote fiduciaire n. f.

W

1629. *waive a claim, to*
renoncer à une revendication v. tr.

1630. *warrant*
bon de souscription n. m.

1631. *wash sales of stock 1*
opération à un cours fictif n. f.

1632. *wash sales of stock 2*
création d'un cours fictif n. f.
Note. — Pour produire un marché artificiel.

1633. *watered capital*
capital dilué n. m.

1634. *watered stock*
actions diluées n. f. pl.

1635. *watering*
dilution 2 n. f.
Note. — En parlant de capital.

1636. *wave of speculation*
vague de spéculation n. f.

1637. *withholding tax on dividends*
retenue d'impôt sur les dividendes n. f.

1638. *working capital;*
circulating capital;
floating capital
fonds de roulement n. m.

1639. *working control*
participation déterminante n. f.

1640. *worth*
valeur 2 n. f.

1641. *worthless security*
titre sans valeur n .m.

1642. *write up, to*
réévaluer v. tr.

Y

1643. *yield*
Syn. de *return*

1644. *yield points, to*
céder des points sur le cours v. tr.

1645. *yield to maturity*
rendement à l'échéance n. m.;
taux actuariel n. m.

Bibliographie

Dictionnaires techniques et ouvrages spécialisés

BARRAINE, Raymond. *Dictionnaire de droit.* Paris, Librairie générale de droit et de jurisprudence, 1967. 325 p.

BAUDHUIN, Fernand. *Dictionnaire de l'économie contemporaine.* Verviers, Éditions Gérard et Cie, 1968. 302 p.

BERTRAND, Raymond. *Économie financière internationale.* Paris, Presses universitaires de France, 1971. 287 p.

BLACK, Henry Campbell. *Black's Law Dictionary.* St.Paul, Minn., West Publishing Co., 1968. 1882 p.

BOUDINOT, A., J. CHARDONNEREAU et J.-C. FRABOT. *Dictionnaire. Banque. Bourse. Commerce extérieur.* Paris, Éditions Banque, C.L.E.T., 1981. 587 p.

BOUDINOT, A. et J.-C. FRABOT. *Lexique de la banque, de la Bourse et du crédit.* Paris, Entreprise moderne d'édition, 1970. 168 p.

BRUEZIÈRE, Maurice et Jacqueline CHARON. *Le français commercial, tome II : textes d'étude.* Paris, Larousse, 1967. 282 p.

BURGARD, Jean-Jacques. *L'information des actionnaires.* Paris, Dunod, 1970. 122 p.

CENTRE INTERNATIONAL DU DROIT DES AFFAIRES (CIDA). *Lexique pratique commercial.* Paris, REGIF, 1973. 451 p.

Comment lire les états financiers. Montréal, Institut canadien des valeurs mobilières, 1971. 40 p.

COMMISSION DES VALEURS MOBILIÈRES DU QUÉBEC. *Bulletin hebdomadaire.* Montréal, vol. XIII, n° 26, 1982.

Cours sur le commerce des valeurs mobilières au Canada. Montréal, Association canadienne des courtiers en valeurs mobilières, édition révisée, 1968. 354 p.

CRANE, David. *A Dictionary of Canadian Economics.* Edmonton, Hurtig Publishers, 1980. 372 p.

DAVIDS, Lewis E. *Dictionary of Banking and Finance.* Littlefield, Adams, Co., 1980. 229 p.

DEMAIN, Dominique. *Du papier qui travaille.* Bruxelles, Revue Écho de la Bourse, 1971. 147 p.

DUPOUY, C. et autres. *Précis de droit commercial, tome II.* Paris, Dunod, 1969. 324 p.

DURAND, Michel. *La bourse.* Paris, Éditions La Découverte/Maspero, 1983. 127 p.

DUTREY, Jean-Michel. *Le financement de l'innovation aux États-Unis : les sociétés de Venture Capitals.* Dans la *Revue économique*, Paris, A. Colin, vol. XXII, n° 1, livraison de janvier 1971, p. 163-173.

GOBLET, Marcel. *Les techniques de financement par actions et obligations aux États-Unis d'Amérique.* Paris, Dunod, 1959. 698 p.

HAOUR, Pierre. *La Bourse.* Paris, A. Colin, 1962. 223 p.

HERBST, Robert. *Dictionnaire des termes commerciaux, financiers et juridiques.* Vol. I, Zoug, Suisse, Translegal, 2e édition, 1966. 1150 p.

HORN, Stefan F. *Glossary of Financial Terms.* Amsterdam-London-New York, Elsevier Publishing Company, 1965. 271. p.

JÉRAUTE, Jules. *Vocabulaire français-anglais et anglais-français de termes et locutions juridiques.* Paris, Librairie générale de droit et de jurisprudence, 1953. 415 p.

JOHNSTON, David L. *Canadian Securities Regulation.* Toronto, Butterworths, 1977. 505 p.

KETTRIDGE, J.O. *Termes, locutions et pratiques de commerce et de finance.* Londres, Routledge & Kegan Paul, 1965. 647 p.

LAFOND, Eugène. *Dictionnaire économique et financier de l'anglais au français.* Montréal, Les Éditions de l'Homme, 1972. 247 p.

LAMBERT, Denis-Clair. *Terminologie économique et monétaire.* Paris, Les Éditions Ouvrières, 1970. 326 p.

Lamy Sociétés. Paris, Société des Services Lamy, 1975. 1080 p.

LEBEL, Wilfrid. *Le vocabulaire des affaires.* Montréal, Les Éditions de l'Homme, 1963. 46 p. (français-anglais), 46 p. (anglais-français).

Lexique boursier, petit vocabulaire de la bourse. Suisse, Cahiers de Crédit suisse, n° 36, 1978. 59 p.

MAUGER, Gaston et Jacqueline CHARON. *Le français commercial, tome I : manuel.* Paris, Larousse, 1967. 311 p.

Mémento pratique Francis Lefebvre. Sociétés commerciales 1979-1980, Paris, Éditions juridiques Lefebvre, 1979. 1037 p.

PAGNY, F. *Introduction à l'économie d'entreprise.* Paris, Dunod, 1969. 121 p.

PÉRON, Michel et autres. *Dictionnaire des affaires.* Paris, Larousse, 1968. 230 p. (français-anglais), 246 p. (anglais-français).

PERQUEL, J.J. *Les marchés financiers.* Paris, Dunod, 1970. 117 p.

PROVENCE, Raymond. *Banque.* Aide-mémoire Dunod, Paris, Dunod, 1967. 278 p.

QUEMNER, Thomas A. *Dictionnaire juridique.* Paris, Éditions de Navarre, 1969. 267 p. (français-anglais), 322 p. (anglais-français).

SARRUT, Jean. *Dictionnaire permanent : droit des affaires.* Paris, Éditions législatives et administratives, 1972, 2 vol. Collection des dictionnaires permanents.

SERVOTTE, J.V. *Dictionnaire commercial et financier.* Français-anglais, anglais-français, Verviers, Éditions Gérard et Cie, 1963. 446 p.

SYLVAIN, Fernand, C.A. *Dictionnaire de la comptabilité et des disciplines connexes.* Toronto, Institut canadien des comptables agréés, 1982. 662 p.

TAITHE, A.-G. *La S.A.R.L., société à responsabilité limitée.* Paris, Dunod, 1969. 114 p.

TAITHE, A.-G. *Les sociétés de personnes.* Paris, Dunod, 1969. 120 p.

Termes comptables. Français-anglais et anglais-français, Toronto, Institut canadien des comptables agréés, 1963. 100 p.

The Language of Investing, a Glossary. New York, the New York Stock Exchange, 1969. 38 p.

THOLE, B. L.L. M. *Elsevier's Lexicon of Stock-Market Terms.* Amsterdam-London-New York, Elsevier Publishing Company, 1965. 131 p.

VAJDA, Pierre et autres. *Les Finances modernes.* Paris, Hachette, 1971. 511 p.

VAN HOOF, Henri. *Terminologie économique, anglais-français.* Munich, Max Hueber Verlag, 1967. 771 p.

WYCKOFF, Peter. *The Language of Wall Street.* New York, Hopkinson and Blake, 1973. 247 p.

Dictionnaires généraux et encyclopédies

Grand Larousse encyclopédique. Paris, Librairie Larousse, 1968-1975. 10 volumes et suppléments.

ROBERT, Paul. *Le petit Robert, Dictionnaire alphabétique et analogique de la langue française.* Paris, Société du Nouveau Littré, Le Robert, 1979. 2171 p.

Webster's New Collegiate Dictionary. Springfield (Mass.), G. & C. Merriam Company, 1977. 1536 p.

Webster's Third New International Dictionary of the English Language Unabridged. Springfield (Mass.), G. and C. Merriam Company, 1976. 2662 p.

Documents officiels

Assemblée nationale du Québec. *Projet de loi n° 85 (chapitre 48), Loi sur les valeurs mobilières.* Québec, Éditeur officiel du Québec, 1982. 79 p.

Gazette officielle du Québec. Laws and Regulations. Québec, Éditeur officiel du Québec, Part 2, volume 115, n° 5, 1983. 251 p.

Gazette officielle du Québec. Lois et règlements. Québec, Éditeur officiel du Québec, Partie 2, 115e année, n° 5, 1983. 330 p.

National Assembly of Québec. *Bill 85 Securities Act.* Québec, Québec Official Publisher, 1982. 73 p.

Index des termes français

A

B

C

D

G

N

O

P

Z

Table des matières

Achevé d'imprimer en août 1992
sur les presses de l'imprimerie
Paul Veilleux ltée
à Québec

Office de
la langue française

FICHE D'ÉVALUATION DES PUBLICATIONS TERMINOLOGIQUES

Titre: **Lexique de la bourse et des valeurs mobilières**

Identification

Profession: traducteur/traductrice ☐
rédacteur/rédactrice ☐
réviseur/réviseure ☐
enseignant/enseignante ☐
terminologue ☐
spécialiste du domaine traité ☐
autres ☐
précisez ____________________

____

Évaluation du contenu

En général, que pensez-vous du choix des termes?

Très bon ☐ Bon ☐ Mauvais ☐

Trouvez-vous les termes que vous cherchez?

Jamais ☐ Rarement ☐ Souvent ☐ Très souvent ☐

Souhaitez-vous que l'Office publie d'autres ouvrages dans le même domaine ou dans des domaines connexes?

Oui ☐ Non ☐

Si oui, lesquels: ____________________

____

____

____

À votre avis, existe-t-il d'autres ouvrages plus complets sur le sujet?

Oui ☐ Non ☐

Présentation

Le format (15 cm × 21 cm) vous convient-il?

Bien ☐ Assez bien ☐ Peu ☐ Pas du tout ☐

Les pages de présentation sont-elles utiles pour la consultation?

Très ☐ Assez ☐ Peu ☐ Pas du tout ☐

Les informations sont-elles présentées clairement?

Très ☐ Assez ☐ Peu ☐ Pas du tout ☐

Mode d'acquisition

Comment avez-vous appris l'existence de cet ouvrage?

____

____

Où vous l'êtes-vous procuré?

____

____

L'avez-vous trouvé facilement?

Oui ☐ Non ☐

Retourner à: Office de la langue française
Direction des services linguistiques
Bureau du directeur
700, boulevard Saint-Cyrille Est, 2e étage
Québec (Québec)
G1R 5G7